KB059984

최상위 사고력을 위한 특별 학습 서비스

문제풀이 동영상
최고난도 문제를 동영상으로 제공하여 줍니다.

최상위 사고력 6B

펴낸날 [초판 1쇄] 2020년 6월 22일

펴낸이 이기열

대표저자 한헌조

펴낸곳 (주)디딤돌 교육

주소 (03972) 서울특별시 마포구 월드컵북로 122 청원선와이즈타워

대표전화 02-3142-9000

구입문의 02-322-8451

내용문의 02-323-9166

팩시밀리 02-338-3231

홈페이지 www.didimdol.co.kr

등록번호 제10-718호

구입한 후에는 철회되지 않으며 잘못 인쇄된 책은 바꾸어 드립니다.

이 책에 실린 모든 삽화 및 편집 형태에 대한 저작권은

(주)디딤돌 교육에 있으므로 무단으로 복사 복제할 수 없습니다.

Copyright © Didimdol Co. [1861860]

초등 6B

상위권의 기준

최상위 사고력

수학 좀 한다면

선 하나를 내리긋는 힘!

직사각형이 있습니다.
윗변의 어느 한 점과 밑변의 두 끝을 연결한
삼각형을 만듭니다.

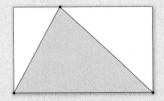

이 삼각형은 직사각형 전체 넓이의 얼마를 차지할까요?

옛 수학자가 이 문제를 푸느라
몇 날 며칠 밤, 땀을 뻘뻘 흘립니다.

그러다 문득!
삼각형의 위쪽 꼭짓점에서 수직으로 선을 하나 내리긋습니다.

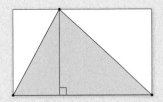

이제 모든 게 선명해집니다.
직사각형은 2개로 나뉘었고
각각의 직사각형은 삼각형의 두 변에 의해 반씩 나누어 집니다.

정답은 $\dfrac{1}{2}$

그러나 중요한 건 정답이 아닙니다.
문제를 해결하려 땀을 뻘뻘 흘리다, 뇌가 번쩍하며
선 하나를 내리긋는 순간!
스스로 수학적 개념을 발견하는 놀라움!

삼각형, 직사각형의 넓이 구하는 공식을 달달 외워
기계적으로 문제를 푸는 것이 아닌

진짜 수학적 사고력이란 이런 것입니다.
문제에 부딪혔을 때, 문제를 해결하는 과정 속에서
스스로 수학적 개념을 발견하고 해결하는 즐거움.
이러한 즐거운 체험의 연속이 수학적 사고력의 본질입니다.

선 하나를 내리긋는 놀라운 생각.
디딤돌 최상위 사고력입니다.

수학적 개념을 발견하고 해결하는 즐거운 여행

정답을 구하는 것이 목적이 아니라
생각하는 과정 자체가 목적이 되는 문제들로 구성하였습니다.

낯설지만 손이 가는 문제
어려워 보이지만 풀 수 있을 것 같은,
도전하고 싶은 마음이 생깁니다.

4-2. 모양을 겹쳐서 도형 만들기

1 겹쳐진 부분을 찾아 색칠하고 색칠한 도형의 개수를 각각 쓰시오.

삼각형 _____ 개

사각형 _____ 개

오각형 _____ 개

육각형 _____ 개

2 크기와 모양이 같은 삼각형 2개를 겹쳤을 때 겹쳐진 부분의 모양이 오각형과 육각형이 되도록 그리시오.

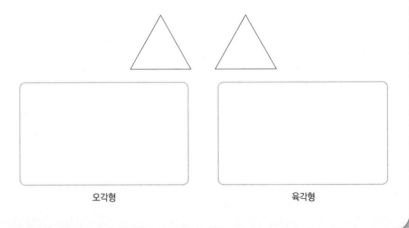

오각형   육각형

 땀이 뻘뻘
첫 번째 문제와 비슷해 보이지만 막상 풀려면
수학적 개념을 세우느라 머리에 땀이 납니다.

뇌가 번쩍

앞의 문제를 자신만의 방법으로 풀면서 뒤죽박죽 생각했던 것들이
명쾌한 수학개념으로 정리됩니다. 이제 똑똑해지는 기분이 듭니다.

뇌가 번쩍

어떻게 겹치면 서로 다른 모양이 나올까?

을 기준으로 을 다양하게 움직입니다.

삼각형 　　　　 사각형 　　　　 오각형 　　　　 육각형

한 도형을 고정시킨 후, 나머지 도형을 여러 가지 방법으로 움직이면서 겹쳐 봅니다.

최상위 사고력

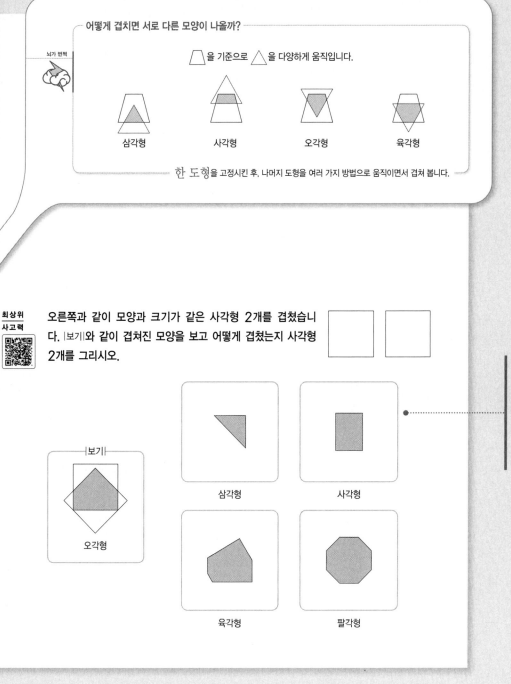

오른쪽과 같이 모양과 크기가 같은 사각형 2개를 겹쳤습니다. |보기|와 같이 겹쳐진 모양을 보고 어떻게 겹쳤는지 사각형 2개를 그리시오.

|보기|

오각형

삼각형

사각형

육각형

팔각형

최상위 사고력 문제

뇌가 번쩍을 통해 알게된 개념을
다양한 관점에서
이해하고 해석해 봄으로써
한 단계 더 깊게 생각하는
힘을 기릅니다.

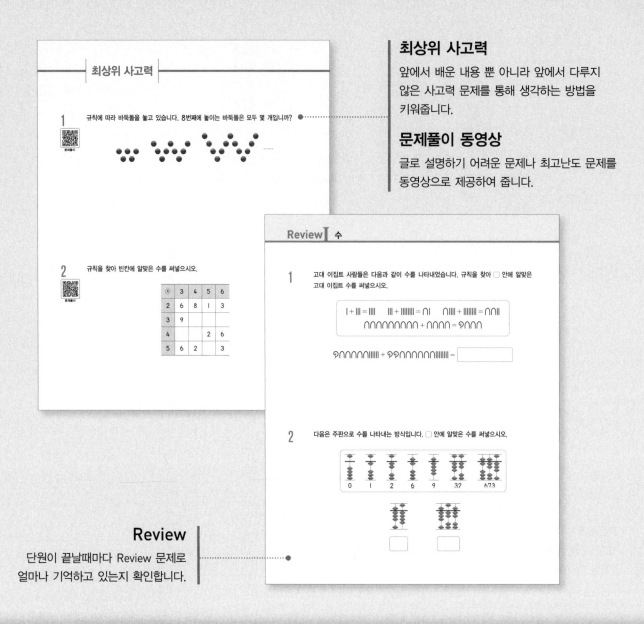

최상위 사고력

1 규칙에 따라 바둑돌을 놓고 있습니다. 8번째에 놓이는 바둑돌은 모두 몇 개입니까?

2 규칙을 찾아 빈칸에 알맞은 수를 써넣으시오.

Review | 수

1 고대 이집트 사람들은 다음과 같이 수를 나타내었습니다. 규칙을 찾아 □ 안에 알맞은 고대 이집트 수를 써넣으시오.

2 다음은 주판으로 수를 나타내는 방식입니다. □ 안에 알맞은 수를 써넣으시오.

최상위 사고력
앞에서 배운 내용 뿐 아니라 앞에서 다루지
않은 사고력 문제를 통해 생각하는 방법을
키워줍니다.

문제풀이 동영상
글로 설명하기 어려운 문제나 최고난도 문제를
동영상으로 제공하여 줍니다.

Review
단원이 끝날때마다 Review 문제로
얼마나 기억하고 있는지 확인합니다.

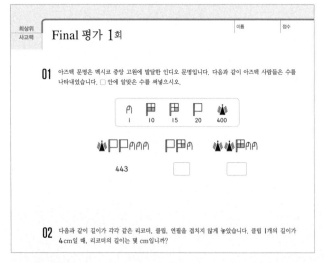

최상위 사고력 Final 평가 1회

이름 | 점수

01 아즈텍 문명은 멕시코 중앙 고원에 발달한 인디오 문명입니다. 다음과 같이 아즈텍 사람들은 수를 나타내었습니다. □ 안에 알맞은 수를 써넣으시오.

443

02 다음과 같이 길이가 각각 같은 리코더, 클립, 연필을 겹치지 않게 놓았습니다. 클립 1개의 길이가 4 cm일 때, 리코더의 길이는 몇 cm입니까?

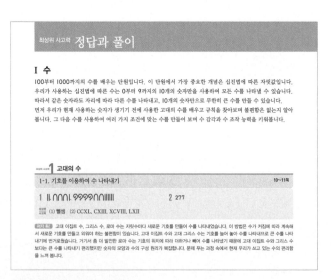

최상위 사고력 정답과 풀이

I 수

100부터 1000까지의 수를 배우는 단원입니다. 이 단원에서 가장 중요한 개념은 십진법에 따른 자릿값입니다.
우리가 사용하는 십진법에 따른 수는 0부터 9까지의 10개의 숫자만을 사용하여 모든 수를 나타낼 수 있습니다.
따라서 같은 숫자라도 자리에 따라 다른 수를 나타내고, 10개의 숫자만으로 무한히 큰 수를 만들 수 있습니다.
먼저 우리가 현재 사용하는 숫자가 생기기 전에 사용한 고대의 수를 배우고 규칙을 찾아보며 불편함은 없는지 알아
봅니다. 그 다음 수를 사용하여 여러 가지 조건에 맞는 수를 만들어 보며 수 감각과 수 조작 능력을 키워봅니다.

Final 평가
이 책에서 다룬 사고력 문제를 시험지 형식으로
풀어보며 실전 감각을 키웁니다.

친절한 정답과 풀이
단원 배경 설명, 저자 톡!을 통해 문제를 선정하고
배치한 이유를 알려줍니다. 문제마다 좀 더 보기 쉽고,
이해하기 쉽게 설명하려고 하였습니다.

contents

I 연산

II 도형 (1) 교과 과정 3. 공간과 입체

III 측정 교과 과정 5. 원의 넓이

IV 도형 (2)

V 규칙성과 문제해결력

연산

I

분수의 혼합 계산

1-1. 간단히 계산하기(1)

땀이 뻘뻘

1 다음을 계산하시오.

(1) $1\dfrac{1}{2} \times 1\dfrac{1}{3} \times 1\dfrac{1}{4} \times 1\dfrac{1}{5} \times \cdots\cdots \times 1\dfrac{1}{100}$

(2) $1 \div \dfrac{1}{2} \div \dfrac{2}{3} \div \dfrac{3}{4} \div \dfrac{4}{5} \div \dfrac{5}{6} \div \dfrac{6}{7} \div \dfrac{7}{8} \div \dfrac{8}{9} \div \dfrac{9}{10}$

(3) $\dfrac{1+2+3+4+5+6+7+6+5+4+3+2+1}{77 \times 77}$

(4) $\left(1+\dfrac{3}{7}\right) \times \left(1+\dfrac{3}{8}\right) \times \left(1+\dfrac{3}{9}\right) \times \left(1+\dfrac{3}{10}\right) \times \cdots\cdots \times \left(1+\dfrac{3}{24}\right) \times \left(1+\dfrac{3}{25}\right)$

(5) $\left(1+\dfrac{1}{2}\right) \times \left(1-\dfrac{1}{2}\right) \times \left(1+\dfrac{1}{3}\right) \times \left(1-\dfrac{1}{3}\right) \times \cdots\cdots \times \left(1+\dfrac{1}{99}\right) \times \left(1-\dfrac{1}{99}\right)$

뇌가 번쩍

$$1\frac{1}{5} \times 1\frac{1}{6} \times 1\frac{1}{7} \times 1\frac{1}{8}$$

대분수를 가분수로 바꾸고, 약분하기

$$= \frac{\overset{1}{\cancel{6}}}{5} \times \frac{\overset{1}{\cancel{7}}}{\underset{1}{\cancel{6}}} \times \frac{\overset{1}{\cancel{8}}}{\underset{1}{\cancel{7}}} \times \frac{9}{\underset{1}{\cancel{8}}}$$

$$= \frac{9}{5}$$

먼저 약분이 되는지 살펴봅니다.

**최상위
사고력**

다음을 계산하시오.

$$\left(1 - \frac{4}{2 \times 5}\right) \times \left(1 - \frac{4}{3 \times 6}\right) \times \left(1 - \frac{4}{4 \times 7}\right) \times \left(1 - \frac{4}{5 \times 8}\right) \times \cdots \times \left(1 - \frac{4}{11 \times 14}\right)$$

1-2. 간단히 계산하기(2)

땀이 뻘뻘

1 다음을 계산하시오.

(1) $\left(\dfrac{1}{2}-\dfrac{1}{4}\right)+\left(\dfrac{1}{4}-\dfrac{1}{6}\right)+\left(\dfrac{1}{6}-\dfrac{1}{8}\right)+\cdots\cdots+\left(\dfrac{1}{48}-\dfrac{1}{50}\right)$

(2) $1-\left(\dfrac{1}{3}-\dfrac{1}{6}\right)-\left(\dfrac{1}{6}-\dfrac{1}{12}\right)-\left(\dfrac{1}{12}-\dfrac{1}{24}\right)-\left(\dfrac{1}{24}-\dfrac{1}{48}\right)$

(3) $\left(\dfrac{4}{7}\times1\dfrac{1}{9}\times\dfrac{4}{11}\right)\div\left(\dfrac{2}{11}\times\dfrac{2}{7}\times\dfrac{5}{9}\right)$

(4) $\dfrac{19}{99}+\dfrac{19}{99}\times2+\dfrac{19}{99}\times3+\cdots\cdots+\dfrac{19}{99}\times10$

(5) $\dfrac{1\times2+2\times4+3\times6+4\times8+\cdots\cdots+50\times100}{2\times3+4\times6+6\times9+8\times12+\cdots\cdots+100\times150}$

뇌가 번쩍

복잡한 계산을 간단히 하는 방법은?

① 계산 순서 바꾸기

가—나+다=가+다—나   가×나÷다=가÷다×나

② 괄호 풀기

→ —에서 +로 바뀌는 것에 주의합니다.

$$\cdot \frac{2}{3}-\left(\frac{1}{2} ⊖ \frac{1}{3}\right)=\frac{2}{3}-\frac{1}{2} ⊕ \frac{1}{3}$$

→ 괄호를 먼저 계산한 것과 결과를 비교하면 서로 같습니다.

$$=\frac{2}{3}+\frac{1}{3}-\frac{1}{2}=\frac{1}{2}$$

가—(나+다)=가—나—다

$$\cdot \frac{5}{6} \div \left(\frac{1}{3} ⊘ \frac{2}{5}\right)=\frac{5}{6} \div \frac{1}{3} ⊗ \frac{2}{5}$$

÷에서 ×로 바뀌는 것에 주의합니다.

가—(나—다)=가—나+다

$$=\frac{\overset{1}{5}}{\underset{3}{6}} \times \frac{\overset{1}{2}}{\underset{1}{5}} \div \frac{1}{3}$$

가÷(나×다)=가÷나÷다

가÷(나÷다)=가÷나×다

$$=\frac{1}{3} \div \frac{1}{3}=1$$

→ 괄호를 먼저 계산한 것과 결과를 비교하면 서로 같습니다.

③ 수를 분배하거나 묶기

가×(나+다)=가×나+가×다   (가+나)×다=가×다+나×다

가×나+가×다=가×(나+다)   가×다+나×다=(가+나)×다

→ 공통인 수로 묶습니다.   공통인 수로 묶습니다. ←

최상위
사고력

다음을 계산하시오.

$$\frac{257 \times 259+258}{258 \times 259-1}+\frac{258 \times 260+259}{259 \times 260-1}$$

1-3. 간단히 계산하기 (3)

1 다음을 계산하시오.

$$2020 \times 20212021 - 2021 \times 20202020$$

2 다음을 계산하시오.

$$\left(1+\frac{1}{2}+\frac{1}{3}+\frac{1}{4}\right) \times \left(\frac{1}{2}+\frac{1}{3}+\frac{1}{4}+\frac{1}{5}\right)$$
$$-\left(1+\frac{1}{2}+\frac{1}{3}+\frac{1}{4}+\frac{1}{5}\right) \times \left(\frac{1}{2}+\frac{1}{3}+\frac{1}{4}\right)$$

뇌가 번쩍

같은 수나 식이 반복될 때 계산을 간단히 하는 방법은?

① 수가 반복되는 경우

$2424 = 2400 + 24$ → 공통된 수를 찾아 묶기

$= 24 \times 100 + 24 \times 1$

$= 24 \times (100 + 1)$

$= 24 \times 101$

➡ 가나 가나 = 가나 × 101

가나 가나 가나 = 가나 × 10101

가나다 가나다 = 가나다 × 1001

② 식이 반복되는 경우

$(1 + 3.1 + 5.8) \times (3.1 + 5.8 + 7.3) - (1 + 3.1 + 5.8 + 7.3) \times (3.1 + 5.8)$

반복되는 식을 문자로 바꾸기:
$(3.1 + 5.8 = 가, \ 3.1 + 5.8 + 7.3 = 나)$

$= (1 + 가) \times 나 - (1 + 나) \times 가$

$= (1 \times 나 + 가 \times 나) - (1 \times 가 + 나 \times 가)$

$= 나 + 가 \times 나 - 가 - 나 \times 가$

$= 나 - 가$

$= 7.3$

공통된 수나 식을 문자로 나타내어 계산해 봅니다.

최상위
사고력

다음을 계산하시오.

$$1\frac{1}{2} + 1\frac{1}{4} + 1\frac{1}{8} + 1\frac{1}{16} + \cdots\cdots + 1\frac{1}{1024}$$

1 다음을 계산하시오.

$$999995 \times 999995 + 1999995 \times 5$$

| 경시대회 기출 |

2 다음을 계산하시오.

$$7\frac{1}{2} \times \left(\frac{2}{2004} + \frac{4}{2004} + \cdots + \frac{2002}{2004} + \frac{2004}{2004} \right.$$
$$\left. - \left(\frac{1}{2004} + \frac{3}{2004} + \frac{5}{2004} + \cdots + \frac{2001}{2004} + \frac{2003}{2004} \right) \right) \div 5$$

3 다음을 계산하시오.

$$\frac{4}{123} + \frac{4004}{123123} + \frac{44044044}{123123123}$$

4

한 각이 직각인 이등변삼각형

다음과 같이 직각이등변삼각형의 각 변의 중점을 세 꼭짓점으로 하는 직각이등변삼각형을 반복하여 그린 후 그림과 같이 색칠할 때, 첫 번째부터 아홉 번째까지의 색칠된 직각이등변삼각형의 넓이의 합을 간단한 곱셈식으로 나타내면 $\frac{1}{3} \times \left(32 - \frac{1}{\square}\right)$입니다. □ 안에 알맞은 수를 구하시오.

문제풀이

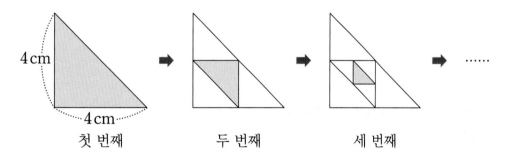

첫 번째   두 번째   세 번째   ……

정답과 풀이 14쪽 ▶

2-1. 약속과 규칙

1 연산 기호 ♣를 가♣나$=\dfrac{가 \times 나}{가 + 나}$로 약속할 때 다음 식을 계산하시오.

$$3 ♣ (6 ♣ 6)$$

땀이 뻘뻘

2 분수를 규칙적으로 나열한 것입니다. ☐ 안에 알맞은 수를 써넣으시오.

(1) $\dfrac{1}{4}$, $\dfrac{3}{8}$, $\dfrac{5}{8}$, ☐, $1\dfrac{5}{8}$, $2\dfrac{5}{8}$, ☐

(2) $\dfrac{1}{2}$, $\dfrac{3}{4}$, $1\dfrac{1}{8}$, $1\dfrac{11}{16}$, ☐

연산 기호 ★를 가★나＝5×가＋4×나로 약속할 때 다★9＝91입니다. 다음을 계산하시오.

$$\frac{1}{5} \star \left(다 \star \frac{1}{4} \right)$$

□ 안에는 같은 수가 들어갑니다. |보기|를 이용하여 □ 안에 알맞은 써넣으시오.

|보기|

$$4\frac{1}{4} + 1\frac{4}{13} = 4\frac{1}{4} \times 1\frac{4}{13}$$

$$2\frac{2}{3} + 1\frac{3}{5} = 2\frac{2}{3} \times 1\frac{3}{5}$$

$$5\frac{1}{3} + \boxed{} = 5\frac{1}{3} \times \boxed{}$$

정답과 풀이 16쪽 ▶

2-2. 소수의 계산

1 다음을 계산하시오.

(1) 8.88×1.25

(2) $9.1 + 9.2 + 9.3 + 9.4 + \cdots\cdots + 10.8 + 10.9$

(3) $1994 + 199.4 + 19.94 + 1.994$

(4) $1990 \times 198.9 - 1989 \times 198.8$

(5) $5.5 \times 6.6 + 6.6 \times 7.7 + 7.7 \times 8.8 + 8.8 \times 9.9$

뇌가 번쩍

복잡한 소수의 계산을 간단히 하는 방법은?

① 자연수 부분과 소수 부분으로 나누어 계산하기

$$1.12+2.12+3.12+4.12+5.12=(1+2+3+4+5)+0.12\times5$$
$$=15+0.6=15.6$$

② 공통인 수로 묶기

$$15\times0.7+35\times0.7=(15+35)\times0.7=50\times0.7=35$$

③ 10의 배수가 되는 곱 이용하기

$$44.4\times2.5=(40+4+0.4)\times2.5=40\times2.5+4\times2.5+0.4\times2.5$$
$$=100+10+1=111$$

최상위 사고력

다음을 계산하시오.

$$(1-0.625\times1)+(2-0.625\times2)+(3-0.625\times3)$$
$$+\cdots\cdots+(79-0.625\times79)+(80-0.625\times80)$$

정답과 풀이 17쪽 ▶

2-3. 부분분수

땀이 뻘뻘

1 |보기|의 규칙을 찾아 다음을 계산하시오.

$$\boxed{\begin{array}{ll} \dfrac{1}{2}-\dfrac{1}{3}=\dfrac{3-2}{2\times 3}=\dfrac{1}{6} & \dfrac{1}{2}-\dfrac{1}{5}=\dfrac{5-2}{2\times 5}=\dfrac{3}{10} \\[3mm] \dfrac{1}{2}+\dfrac{1}{3}=\dfrac{3+2}{2\times 3}=\dfrac{5}{6} & \dfrac{1}{3}+\dfrac{1}{5}=\dfrac{5+3}{3\times 5}=\dfrac{8}{15} \end{array}}$$

(1) $\dfrac{1}{1\times 2}+\dfrac{1}{2\times 3}+\dfrac{1}{3\times 4}+\dfrac{1}{4\times 5}+\dfrac{1}{5\times 6}$

(2) $\dfrac{2}{1\times 3}+\dfrac{2}{3\times 5}+\dfrac{2}{5\times 7}+\dfrac{2}{7\times 9}+\dfrac{2}{9\times 11}$

(3) $1+3\dfrac{1}{6}+5\dfrac{1}{12}+7\dfrac{1}{20}+9\dfrac{1}{30}+11\dfrac{1}{42}+13\dfrac{1}{56}+15\dfrac{1}{72}$

(4) $1-\dfrac{5}{6}+\dfrac{7}{12}-\dfrac{9}{20}+\dfrac{11}{30}-\dfrac{13}{42}+\dfrac{15}{56}-\dfrac{17}{72}+\dfrac{19}{90}$

두 수의 (곱과 합) 또는 (곱과 차)로 이루어진 분수의 계산은 어떻게 할까?

ⓐ<ⓑ일 때

$$\frac{ⓑ-ⓐ}{ⓐ\timesⓑ}=\frac{ⓑ}{ⓐ\timesⓑ}-\frac{ⓐ}{ⓐ\timesⓑ}=\frac{1}{ⓐ}-\frac{1}{ⓑ}$$

$$\frac{ⓑ+ⓐ}{ⓐ\timesⓑ}=\frac{ⓑ}{ⓐ\timesⓑ}+\frac{ⓐ}{ⓐ\timesⓑ}=\frac{1}{ⓐ}+\frac{1}{ⓑ}$$

하나의 분수를 두 개로 나누어 계산합니다.

최상위 사고력

다음을 계산하시오.

$$\left(4\frac{1}{12}-3\frac{3}{20}+2\frac{17}{30}-2\frac{7}{42}+1\frac{49}{56}\right)\div\frac{1}{24}$$

정답과 풀이 19쪽 ▶

1 다음을 계산하시오.

(1) $1 - \dfrac{1}{10} - \dfrac{1}{100} - \dfrac{1}{1000} - \dfrac{1}{10000} - \cdots\cdots - \dfrac{1}{100000000}$

(2) $9999.8 \div 4 + 999.8 \div 4 + 99.8 \div 4 + 9.8 \div 4$

2 다음을 계산하시오.

$$\dfrac{3}{10} + \dfrac{8}{15} - \dfrac{4}{21} + \dfrac{3}{28} - \dfrac{5}{36} + \dfrac{4}{45}$$

3 다음 식이 성립하도록 □ 안에 알맞은 수를 구하시오.

$$\frac{1}{110}+\frac{1}{132}+\frac{1}{156}-\frac{3}{13\times\square}=0$$

4

문제풀이

연산 기호 ♥를 가♥나$=\left(가\div\dfrac{1}{나}\right)\div\left(\dfrac{1}{나}\div가\right)$로 약속할 때 다음을 계산하시오.

$$\left(\frac{3}{2}\,♥\,\frac{4}{3}\right)\times\left(\frac{5}{4}\,♥\,\frac{6}{5}\right)\times\left(\frac{7}{6}\,♥\,\frac{8}{7}\right)\times\cdots\cdots\times\left(\frac{99}{98}\,♥\,\frac{100}{99}\right)$$

3-1. 분수 포포즈

→four fours: 4개의 숫자 4와 연산 기호를 이용하여 수 만들기

땀이 뻘뻘

1 4개의 4로 식을 만들어 1부터 10까지의 수를 만들려고 합니다. 적어도 하나의 분수를 이용하여 만들어 보시오.

1	예 $\dfrac{4}{4+4-4}$	6	
2		7	
3		8	
4		9	
5		10	

뇌가 번쩍

네 개의 4로 목표수를 만들 때 어떤 수를 이용할 수 있을까?

① 2개의 4로 만들 수 있는 수

$4-4=0$

$\dfrac{4}{4}=1$

$4+4=8$

$4\times4=16$

44

② 3개의 4로 만들 수 있는 수(①의 결과 이용)

$4-4+4=4,\ (4-4)\times4=0,\ \dfrac{4-4}{4}=0$

$\dfrac{4}{4}+4=5,\ 4-\dfrac{4}{4}=3,\ 4\times\dfrac{4}{4}=4$

$4+4+4=12,\ (4+4)\times4=32,\ \dfrac{4+4}{4}=2$

$4\times4+4=20,\ 4\times4\times4=64,\ \dfrac{4\times4}{4}=4$

$444,\ 44+4=48,\ 44-4=40,\ 44\times4=156,\ \dfrac{44}{4}=11$

—— 두 개의 4, 세 개의 4로 만들 수 있는 수를 이용합니다.

5개의 4로 식을 만들어 1, 2, 3, 4를 만들려고 합니다. |보기|와 같이 적어도 하나의 분수를 이용하여 만들어 보시오.

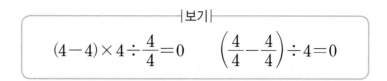

|보기|

$$(4-4) \times 4 \div \frac{4}{4} = 0 \qquad \left(\frac{4}{4} - \frac{4}{4}\right) \div 4 = 0$$

1	
2	
3	
4	

6개의 4로 |보기|와 같이 분수만 이용하여 1을 만들려고 합니다. 서로 다른 6가지 방법으로 만들어 보시오.

|보기|

$$\frac{44}{44} \div \frac{4}{4} = 1 \qquad \frac{4}{4} \div \frac{44}{44} = 1$$

순서만 다른 경우는
한 가지로 생각합니다.

3-2. 분수 문장제

1 어떤 공을 떨어뜨리면 떨어진 높이의 $\frac{2}{3}$ 만큼 튀어 오른다고 합니다. 세 번째로 공이 튀어

오른 높이가 16cm라면 처음에 공을 떨어뜨린 높이는 몇 cm입니까?

2 수학경시대회에 참가한 남학생 수는 전체의 $\frac{2}{3}$ 보다 32명 더 많고, 여학생 수는 전체의

$\frac{2}{7}$ 보다 8명이 많다고 합니다. 수학경시대회에 참가한 학생은 모두 몇 명입니까?

뇌가 번쩍

어느 학교의 6학년 남학생 수는 전체의 $\frac{2}{5}$보다 48명 많고, 여학생 수는 전체의 $\frac{4}{9}$보다 20명 적습니다. 이 학교의 6학년 학생은 모두 몇 명입니까?

① 식 세워 풀기

전체 학생 수를 ☐라 하면 (전체 학생 수)=(남학생 수)+(여학생 수)이므로

$$\square = \left(\square \times \frac{2}{5} + 48\right) + \left(\square \times \frac{4}{9} - 20\right)$$

② 의미를 파악하여 다른 식 세워 풀기

여학생 수는 전체의 $\frac{4}{9}$보다 20명 적다. ➡ 남학생 수는 전체의 $\frac{5}{9}$보다 20명 많다.

$$\square \times \frac{2}{5} + 48 = \square \times \frac{5}{9} + 20$$

최상위 사고력

어느 학교 6학년 1반과 2반의 학생 중에서 여학생 전체의 $\frac{1}{9}$과 남학생 18명은 동생이 있습니다. 동생이 없는 여학생 수는 동생이 없는 남학생 수의 2배입니다. 두 반의 여학생 수가 남학생 수보다 2명 더 많을 때 6학년 1반과 2반의 학생은 모두 몇 명인지 구하시오.

정답과 풀이 23쪽 ▶

3-3. 역사 속 분수 문제

1 다음은 고대 이집트 시대의 수학서 '파피루스'에 나와 있던 문제입니다. 목동이 가지고 있는 소는 모두 몇 마리인지 구하시오.

> 목동이 소 70마리를 데리고 왔습니다. 소의 수를 확인하는 검사관이 소의 수를 세어 보고는 말했습니다.
>
> 검사관: "너의 소는 이것이 전부인가? 집에 남아 있는 소는 몇 마리인가?
>
> 목동: "내가 데리고 온 것은 전체의 $\frac{1}{3}$ 중에서 $\frac{2}{3}$입니다. 계산해 보시면 집에 남아 있는 소가 몇 마리인지 알 수 있을 것입니다."

땀이 뻘뻘

2 다음은 고대 그리스의 수학자 피타고라스의 제자의 수를 구하는 시입니다. 피타고라스의 제자의 수는 모두 몇 명입니까?

> "위대한 피타고라스여! 뮤즈 여신의 자손이여!
> 가르쳐 주소서. 당신 제자의 수를……"
>
> "내 제자의 반은 수의 아름다움을 탐구하고, 자연의 이치를 구하는 자가 $\frac{1}{4}$, $\frac{1}{7}$의 제자들은 깊은 사색에 빠져 있네.
> 그 밖에 여자 제자가 3명…… 이들이 내 제자의 전부라네.
>
> 알겠는가? 내 제자의 수를……"

최상위
사고력
A

고대 그리스의 수학자 디오판토스의 묘비에는 다음 글이 적혀 있습니다. 디오판토스는 몇 살까지 살았는지 구하시오.

> 디오판토스는 일생의 $\frac{1}{6}$ 을 소년으로 지냈고, $\frac{1}{12}$ 을 청년으로 지냈으며, 일생의 $\frac{1}{7}$ 을 자식이 없는 결혼 생활을 하였고 그 후 5년이 지나 아들을 낳았다. 그의 아들은 디오판토스의 일생의 $\frac{1}{2}$ 을 살다가 아버지보다 먼저 죽었으며, 이후 슬픔 속에서 4년을 지낸 후 디오판토스는 일생을 마쳤다.

최상위
사고력
B

이집트의 어느 전설에는 길이가 $80\,\text{m}$ 인 뱀이 등장합니다. 이 뱀은 $\frac{5}{14}$ 일에 $7\frac{1}{2}\,\text{m}$ 의 빠르기로 굴을 파고 들어갈 수 있습니다. 그런데 뱀 꼬리는 $\frac{1}{4}$ 일에 $2\frac{3}{4}\,\text{m}$ 씩 자라납니다. 뱀이 굴속으로 완전히 들어가려면 며칠이 걸리는지 구하시오.

정답과 풀이 24쪽 ▶

최상위 사고력

1   1, 2, 3, 4를 한 번씩만 이용하여 주어진 계산 결과가 나오도록 분수 꼴의 식을 만들어 보시오. (단, $\dfrac{4+1}{2+3}$은 분수 꼴의 식이지만 $\dfrac{4+2}{3}-1$은 자연수가 있으므로 분수 꼴의 식이 아닙니다.)

2		6	
3		7	
4		12	

2   8개의 8로 분수만 이용하여 1을 만들려고 합니다. 서로 다른 6가지 방법으로 만들어 보시오. (단, 순서만 바뀐 것은 한 가지로 생각합니다.)

정답과 풀이 25쪽 ▶

3

문제풀이

400에서 400의 $\frac{1}{2}$을 빼고, 남은 수의 $\frac{1}{3}$을 빼고, 남은 수의 $\frac{1}{4}$을 뺍니다. 이와 같은 방법을 반복하여 마지막으로 남은 수의 $\frac{1}{400}$을 빼면 계산 결과는 얼마입니까?

4

민수는 어떤 책을 전부 읽는데 3일이 걸렸습니다. 첫째 날에는 전체의 $\frac{2}{3}$보다 88쪽 적게 읽었고, 둘째 날에는 전체의 $\frac{1}{5}$을 읽었고, 셋째 날에는 첫째 날 읽은 양의 $\frac{3}{4}$을 읽었습니다. 이 책의 쪽수는 모두 몇 쪽입니까?

1

다음을 계산하시오.

(1) $145.55 + 245.55 + 345.55 + \cdots\cdots + 945.55$

(2) 84.84×2.5

(3) $0.99 - 0.01 + 0.02 - 0.03 + 0.04 - \cdots\cdots - 0.97 + 0.98$

(4) 8888.8×9999.9

(5) $2002 \times 0.999 + 2003 \times 0.998 - 2004 \times 0.997$

2 5개의 9로 식을 만들어 6개의 수 10, 11, 12, 17, 19, 20을 만들려고 합니다. 적어도 하나의 분수를 이용하여 만들어 보시오.

10		17	
11		19	
12		20	

3 어느 과일 가게 주인이 사과 중에서 썩은 사과를 골라내었습니다. 썩지 않은 사과의 수는 전체의 $\frac{2}{5}$보다 48개 많고, 썩은 사과의 수는 전체의 $\frac{1}{4}$보다 8개 더 많습니다. 이 과일 가게에 있는 사과는 모두 몇 개입니까?

 정답과 풀이 26쪽 ▶

4 다음을 계산하시오.

(1) $2\dfrac{1}{3} - \dfrac{7}{12} + \dfrac{9}{20} - \dfrac{11}{30} + \dfrac{13}{42} - \dfrac{15}{56} + \dfrac{17}{72} - \dfrac{19}{90}$

(2) $3\dfrac{3}{7} \times \left(1 + \dfrac{1}{2} + \dfrac{1}{3} + \dfrac{1}{4} + \dfrac{1}{5} + \dfrac{1}{6} + \dfrac{1}{7} + \dfrac{1}{8} + 1\dfrac{23}{35} \right)$

5 다음을 계산하시오.

$$\left(\dfrac{1}{243} + \dfrac{1}{81} + \dfrac{1}{27} + \dfrac{1}{9} + \dfrac{1}{3} + 1 + 3 + 9 + 27 + 81 + 243 \right) \times 2 + \dfrac{1}{243}$$

정답과 풀이 26쪽 ▶

도형 (1)

쌓은 모양을 위, 앞, 옆에서 본 모양

4-1. 쌓기나무를 여러 방향에서 본 모양

땀이 뻘뻘

1 |보기|는 쌓기나무 9개로 쌓은 모양을 위에서 본 모양을 그린 후, 각 칸에 쌓여 있는 쌓기나무의 개수를 써넣은 것입니다. 쌓기표를 보고 여러 방향에서 본 모양을 알맞게 그리시오.

→ 위에서 본 모양에 각 칸에 쌓여 있는 쌓기나무의 개수를 쓴 것을 쌓기표라고 합니다.

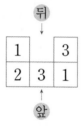

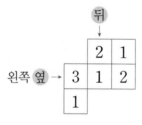

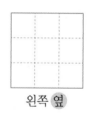

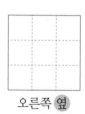

앞에서 본 모양과 뒤에서 본 모양은 같을까?

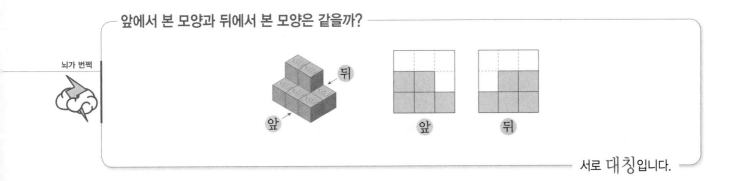

서로 대칭입니다.

최상위 사고력

쌓기나무 12개로 쌓은 모양을 다음과 같이 시계 방향으로 90°씩 돌립니다. 이와 같은 방법으로 왼쪽 모양을 50번 돌렸을 때, 오른쪽 옆에서 본 모양과 뒤에서 본 모양을 각각 그리시오.

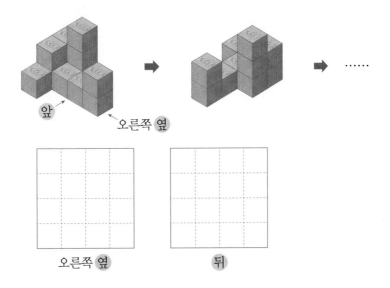

오른쪽 옆   뒤

4-2. 투명 정육면체

1 투명 정육면체 12개와 색칠된 정육면체 6개로 직육면체를 만들었습니다. 이 직육면체를 위, 오른쪽 옆에서 본 모양을 각각 그리시오.

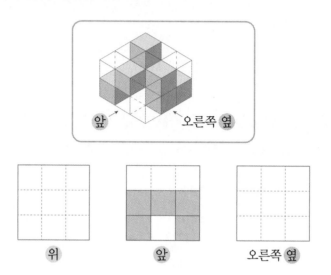

위   앞   오른쪽 옆

땀이 뻘뻘

2 투명 정육면체와 색칠된 정육면체 18개로 직육면체를 만들었습니다. 이 직육면체를 위, 앞에서 본 모양이 다음과 같을 때, 오른쪽 옆에서 본 모양을 그리시오.

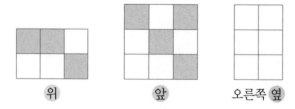

위   앞   오른쪽 옆

투명 정육면체 ㉠의 위치는?

뇌가 번쩍

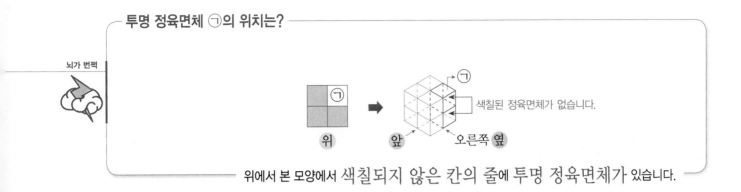

위에서 본 모양에서 색칠되지 않은 칸의 줄에 투명 정육면체가 있습니다.

최상위 사고력

투명 정육면체와 색칠된 정육면체 8개로 정육면체를 만들었습니다. 이 정육면체를 위, 앞, 오른쪽 옆에서 본 모양이 모두 다음과 같을 때 색칠된 정육면체는 최소 몇 개인지 구하시오.

4-3. 여러 가지 블록으로 만든 모양의 위, 앞, 옆

1 다음은 |보기|의 색깔 블록 3개를 쌓아 만든 입체도형입니다. 이 입체도형을 여러 방향에서 본 모양을 알맞게 그리시오.

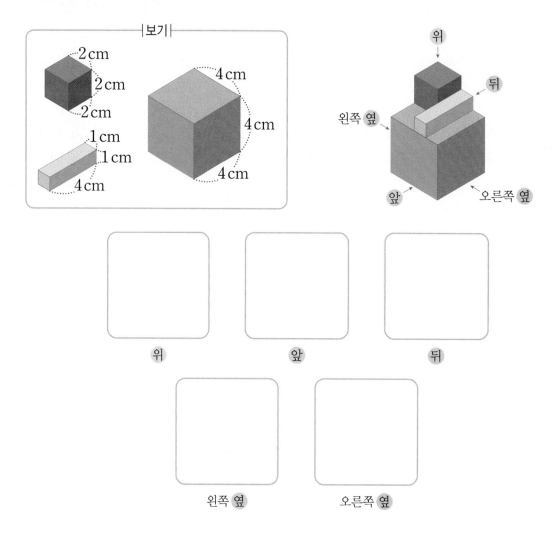

2 다음은 |보기|의 색깔 블록 4개를 쌓아 만든 입체도형을 위, 오른쪽 옆에서 본 모양입니다. 앞에서 본 모양을 알맞게 그리시오.

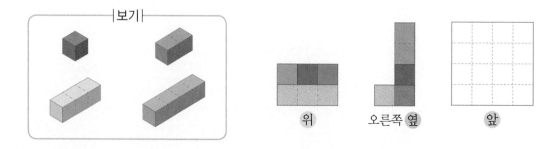

한 방향에서 본 모양을 보고 알 수 있는 것은?

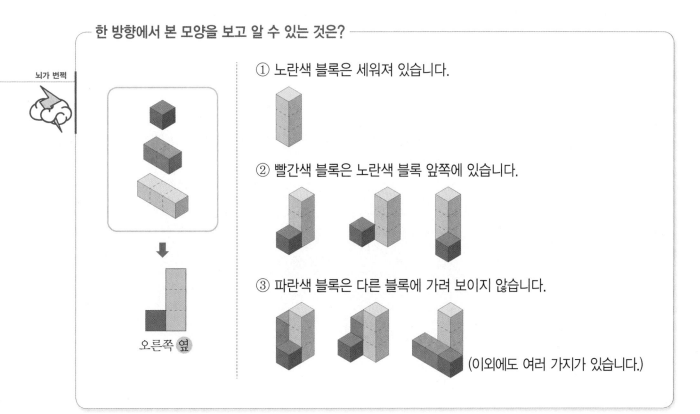

① 노란색 블록은 세워져 있습니다.

② 빨간색 블록은 노란색 블록 앞쪽에 있습니다.

③ 파란색 블록은 다른 블록에 가려 보이지 않습니다.

(이외에도 여러 가지가 있습니다.)

오른쪽 옆

최상위
사고력

다음은 |보기|의 색깔 블록 4개를 쌓아 만든 입체도형을 위에서 본 모양입니다. 위층에 있는 블록은 반드시 아래 층에 있는 블록 위에 쌓여 있다고 할 때 뒤에서 본 모양을 2가지 방법으로 그리시오.

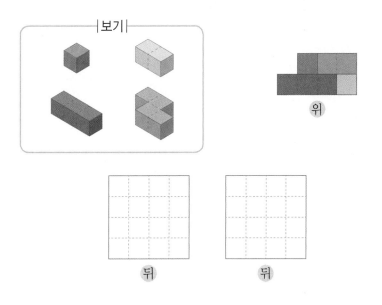

|보기|

위

뒤

뒤

정답과 풀이 31쪽 ▶

1 투명 정육면체와 색칠된 정육면체 8개로 정육면체를 만들었습니다. 이 정육면체를 위, 오른쪽 옆에서 본 모양이 다음과 같을 때, 앞에서 본 모양을 그리시오.

위   오른쪽 옆   앞

2 다음은 쌓기나무를 4층으로 쌓은 모양의 각 층을 위에서 본 모양입니다. 왼쪽 옆에서 본 모양을 그리시오.

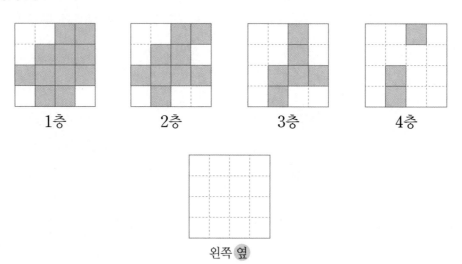

1층   2층   3층   4층

왼쪽 옆

정답과 풀이 32쪽 ▶

3 다음은 |보기|의 색깔 블록 4개를 쌓아 만든 입체도형을 위에서 본 모양입니다. 위에서 본 모양을 보고 만들 수 있는 입체도형에서 뒤에서 본 서로 다른 모양은 모두 몇 가지인지 구하시오. (단, 위층에 있는 블록은 반드시 아래 층에 있는 블록 위에 놓여 있습니다.)

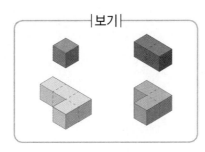

|보기|

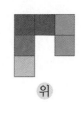

위

4 |보기|와 같이 모든 모서리가 검은색인 블록 5개를 쌓아 만든 입체도형입니다. 이 입체도형을 위, 오른쪽 옆에서 본 모양을 보고 앞에서 본 모양을 그리시오.

|보기|

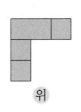

위

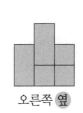

오른쪽 옆

앞

5-1. 위, 앞, 옆에서 본 모양과 쌓기나무 개수

1 |보기|는 쌓기나무를 위, 앞, 오른쪽 옆에서 본 모양 중 하나입니다. 알맞게 쌓은 모양을 골라 번호를 쓰시오. (단, 보이지 않는 쌓기나무는 없습니다.)

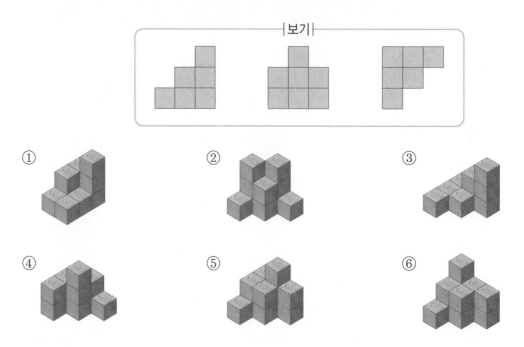

2 다음은 쌓기나무를 쌓아 만든 모양을 위, 앞, 오른쪽 옆에서 본 모양입니다. 이 입체도형을 만드는 데 사용한 쌓기나무는 모두 몇 개인지 구하시오.

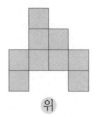

위

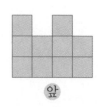

앞

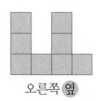

오른쪽 옆

위, 앞, 오른쪽 옆에서 본 모양을 보고 사용한 쌓기나무의 개수를 알 수 있을까?

① 위에서 본 모양에
앞, 오른쪽 옆에서 본 모양의 개수 쓰기

② 위에서 본 모양에 수를 써서
쌓은 모양과 쌓기나무의 개수 알아보기

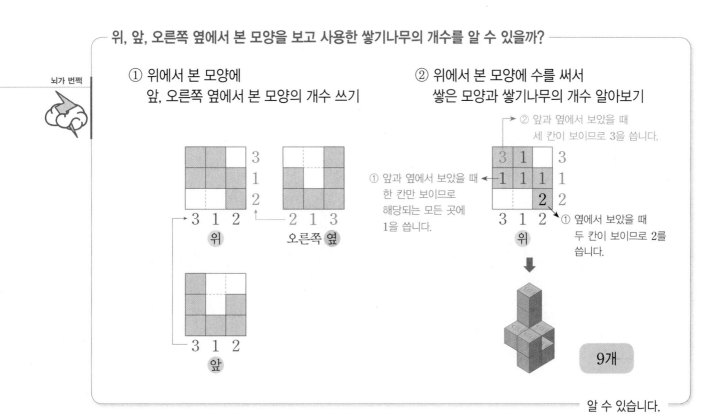

알 수 있습니다.

쌓기나무로 쌓은 모양을 위, 앞, 오른쪽 옆에서 본 모양입니다. 쌓기나무를 몇 개 더 쌓아 정육면체 모양을 만들려고 할 때 쌓기나무를 적어도 몇 개 더 쌓아야 하는지 구하시오.

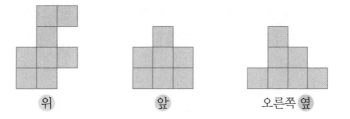

5-2. 쌓기나무의 최대·최소 개수

1 쌓기나무로 쌓은 모양을 위, 앞, 오른쪽 옆에서 본 모양입니다. 똑같은 모양으로 쌓는 데 필요한 쌓기나무는 최대 몇 개인지 구하시오.

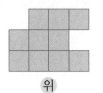
위

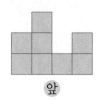
앞

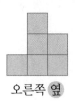
오른쪽 옆

땀이 뻘뻘

2 쌓기나무로 쌓은 모양을 위, 앞, 오른쪽 옆에서 본 모양입니다. 똑같은 모양으로 쌓는 데 필요한 쌓기나무는 최소 몇 개인지 구하시오.

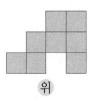
위

앞

오른쪽 옆

쌓기나무의 최대 개수와 최소 개수를 구하는 방법은?

① 쌓은 개수를 확실히 알 수 있는 칸에 수를 쓰기

② 최대 개수 구하기

나머지 칸에 앞과 오른쪽 옆에서 본 모양이 변하지 않도록 가장 큰 수를 씁니다.

② 최소 개수 구하기

앞과 오른쪽 옆에서 보았을 때 같은 수가 보이는 칸을 먼저 채우고 나머지 칸에 1을 씁니다.

최상위 사고력

쌓기나무로 쌓은 모양을 앞, 오른쪽 옆에서 본 모양입니다. 똑같은 모양으로 쌓는 데 필요한 쌓기나무는 최대 몇 개, 최소 몇 개인지 구하시오. (단, 쌓기나무를 쌓을 때는 적어도 한 면이 맞닿아야 합니다.)

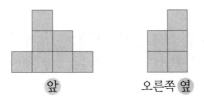

앞   오른쪽 옆

5-3. 쌓기나무로 쌓을 수 있는 모양의 가짓수

1 다음 |조건|에 맞게 쌓기나무를 쌓는 방법을 위에서 본 모양에 모두 나타내시오. (단, 돌리 거나 뒤집어서 같은 것은 한 가지로 생각합니다.)

|조건|
① 쌓기나무 8개를 사용한 모양입니다.
② 쌓기나무의 쌓은 모양은 3층입니다.

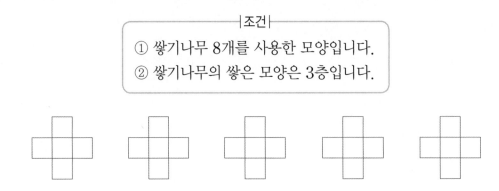

2 쌓기나무로 쌓은 모양을 위, 앞, 오른쪽 옆에서 본 모양입니다. 위, 앞, 오른쪽 옆에서 본 모양이 변하지 않도록 쌓기나무를 쌓는 서로 다른 방법은 모두 몇 가지인지 구하시오.

위

앞

오른쪽 옆

뇌가 번쩍

쌓기나무로 쌓을 수 있는 모양의 가짓수는?

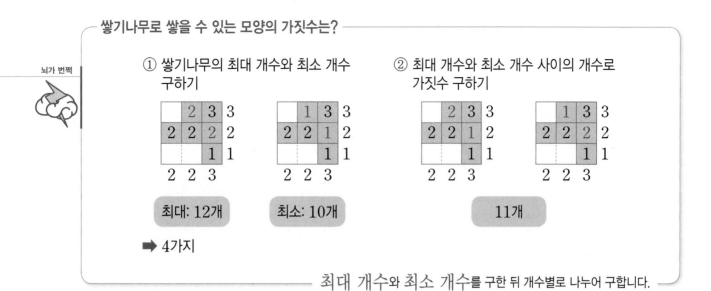

① 쌓기나무의 최대 개수와 최소 개수 구하기

최대: 12개   최소: 10개

➡ 4가지

② 최대 개수와 최소 개수 사이의 개수로 가짓수 구하기

11개

──── 최대 개수와 최소 개수를 구한 뒤 개수별로 나누어 구합니다.

최상위 사고력

쌓기나무로 쌓은 모양을 위, 앞, 오른쪽 옆에서 본 모양입니다. 위, 앞, 오른쪽 옆에서 본 모양이 변하지 않도록 쌓기나무를 쌓는 서로 다른 방법은 모두 몇 가지인지 구하시오.

위   앞   오른쪽 옆

최상위 사고력

1

문제풀이

| 경시대회 기출 |

쌓기나무 2개 이상을 쌓아 위, 앞, 오른쪽 옆에서 본 모양이 모두 똑같게 만들려고 합니다. 필요한 쌓기나무는 최소 몇 개인지 구하시오.

2

쌓기나무로 쌓은 모양을 위, 앞, 오른쪽 옆에서 본 모양이 모두 다음과 같았습니다. 똑같은 모양으로 쌓는 데 필요한 쌓기나무의 최대 개수와 최소 개수의 차를 구하시오.

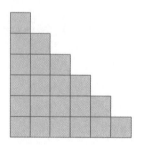

3 쌀기나무로 쌓은 모양을 위, 앞, 오른쪽 옆에서 본 모양입니다. 똑같은 모양으로 최소로 쌓으려고 할 때 최소 개수로 만들 수 있는 방법은 모두 몇 가지인지 구하시오.

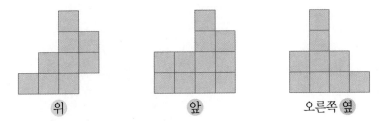

4 쌀기나무로 쌓은 모양을 위, 오른쪽 옆에서 본 모양입니다. 똑같은 모양으로 쌓으려고 할 때 앞에서 본 서로 다른 모양은 모두 몇 가지인지 구하시오.

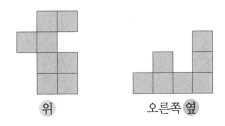

정답과 풀이 38쪽 ▶

6-1. 복잡한 모양의 겉넓이

1 다음은 한 모서리의 길이가 1 cm인 쌓기나무 35개를 쌓아 만든 입체도형입니다. 이 도형의 겉넓이를 구하시오.

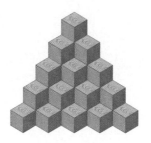

2 다음은 한 모서리의 길이가 2 cm인 쌓기나무 13개를 쌓아 만든 입체도형입니다. 이 도형의 겉넓이를 구하시오.

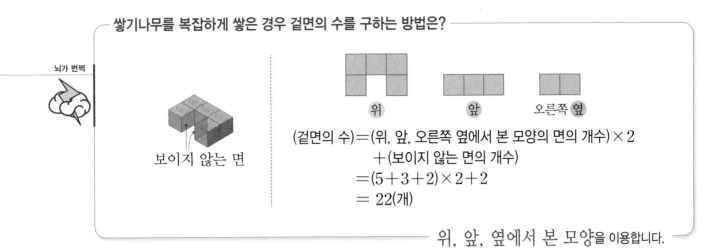

쌓기나무를 복잡하게 쌓은 경우 겉면의 수를 구하는 방법은?

위

앞

오른쪽 옆

(겉면의 수)=(위, 앞, 오른쪽 옆에서 본 모양의 면의 개수)×2
　　　　　　　　+(보이지 않는 면의 개수)
　　　　　=(5＋3＋2)×2＋2
　　　　　= 22(개)

보이지 않는 면

위, 앞, 옆에서 본 모양을 이용합니다.

뇌가 번쩍

최상위
사고력

다음은 크기가 같은 정육면체 모양의 쌓기나무 9개를 쌓아 만든 입체도형입니다. 이 도형의 겉넓이가 $576\,\mathrm{cm}^2$라면 부피는 몇 cm^3인지 구하시오.

6-2. 겉넓이의 최대 · 최소

1 한 모서리의 길이가 1 cm인 쌓기나무 12개를 쌓아 만들 수 있는 직육면체 중 겉넓이가 최소인 경우는 몇 cm²인지 구하시오.

2 한 모서리의 길이가 1 cm인 쌓기나무 13개를 쌓아 만든 입체도형입니다. 쌓기나무 2개를 더 쌓을 때 겉넓이가 최대인 경우와 최소인 경우는 각각 몇 cm²인지 구하시오. (단, 쌓기나무를 쌓을 때는 적어도 한 면이 맞닿아야 합니다.)

땀이 뻘뻘

쌓기나무 8개로 만든 입체도형의 겉넓이는?

	 1 cm 1 cm 1 cm		
겹치는 곳의 개수	7개	10개	12개
겉넓이	$6 \times 8 - 7 \times 2$ $= 34(\text{cm}^2)$	$6 \times 8 - 10 \times 2$ $= 28(\text{cm}^2)$	$6 \times 8 - 12 \times 2$ $= 24(\text{cm}^2)$

쌓기나무 1개의 겉넓이 → 겹치는 면의 개수

겹치는 면이 많을수록 겉넓이가 작아집니다.

**최상위
사고력** 한 모서리의 길이가 1 cm인 쌓기나무 13개를 쌓아 만든 입체도형입니다. 쌓기나무 5개를 더 쌓을 때 겉넓이가 최대인 경우와 최소인 경우는 각각 몇 cm^2인지 구하시오.

6-3. 변하지 않는 겉넓이

1 한 모서리의 길이가 1cm인 쌓기나무 16개를 쌓아 만든 입체도형입니다. 이 입체도형에서 색칠한 쌓기나무를 한 개씩 빼낼 때의 겉넓이는 처음 도형의 겉넓이에서 얼마나 변화하는지 구하시오.

(1) 빨간색을 빼는 경우

(2) 파란색을 빼는 경우

(3) 노란색을 빼는 경우

(4) 초록색을 빼는 경우

2 쌓기나무 33개를 쌓아 만든 입체도형입니다. 겉넓이가 변하지 않도록 쌓기나무를 최대 몇 개까지 빼낼 수 있는지 구하시오.

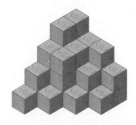

뇌가 번쩍

쌓기나무 1개를 빼면 겉넓이는 어떻게 변할까?

① 꼭짓점에서 빼는 경우   ② 모서리에서 빼는 경우   ③ 면에서 빼는 경우

➡ 변하지 않습니다.   ➡ 면 2개의 넓이만큼   ➡ 면 4개의 넓이만큼
                         늘어납니다.   늘어납니다.

쌓기나무를 빼는 위치에 따라 겉넓이가 변합니다.

**최상위
사고력**

쌓기나무 27개를 쌓아 만든 정육면체입니다. 겉넓이가 변하지 않도록 쌓기나무를 최대 몇 개까지 빼낼 수 있는지 구하시오.

1 한 모서리의 길이가 2 cm인 쌓기나무를 쌓아 만든 입체도형입니다. 이 입체도형의 부피와 겉넓이를 각각 구하시오.

2 쌓기나무 17개를 쌓아 만든 입체도형입니다. 위, 앞, 오른쪽 옆에서 본 모양이 변하지 않도록 쌓기나무를 최대 몇 개까지 빼낼 수 있는지 구하시오.

| 경시대회 기출 |

3 한 모서리의 길이가 1 cm인 쌓기나무 9개를 1층으로 쌓았습니다. 겉넓이가 다른 경우는 모두 몇 가지인지 구하시오. (단, 쌓기나무를 쌓을 때는 적어도 한 면이 맞닿아야 합니다.)

| 경시대회 기출 |

4 쌓기나무를 이용하여 만든 직육면체의 바닥을 포함한 겉면을 빨간색으로 모두 색칠하였더니 색칠한 면이 64개가 되었습니다. 쌓기나무로 만든 직육면체에서 빨간색이 색칠되지 않은 쌓기나무의 면의 최대 개수와 최소 개수를 구하시오.

문제풀이

정답과 풀이 44쪽 ▶

1 다음은 |보기|의 색깔 블록 4개를 쌓아 만든 입체도형을 앞, 오른쪽 옆에서 본 모양입니다. 위에서 본 모양을 알맞게 그리시오.

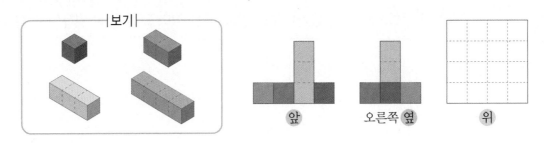

2 다음은 쌓기나무를 쌓아 만든 모양을 위, 오른쪽 옆에서 본 모양입니다. 이 입체도형을 만드는 데 사용한 쌓기나무의 최대 개수와 최소 개수의 차를 구하시오.

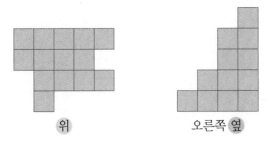

3 쌓기표를 보고 바닥면을 제외한 겉면에서 보이는 쌓기나무의 면은 모두 몇 개인지 구하시오.

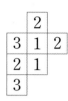

4 한 모서리의 길이가 $1\,\text{cm}$인 쌓기나무를 일정한 규칙에 따라 쌓아 입체도형을 만들려고 할 때 9번째 입체도형의 바닥면을 제외한 겉넓이는 몇 cm^2인지 구하시오.

1번째　　　2번째　　　　3번째　　　……

5 한 모서리의 길이가 1 cm인 쌓기나무로 직육면체를 만든 후, 각 면에서 마주 보는 면까지 구멍을 뚫어 만든 입체도형입니다. 이 입체도형의 겉넓이는 몇 cm²인지 구하시오.

6 다음은 쌓기나무로 쌓은 모양을 위, 앞에서 본 모양입니다. 똑같은 모양으로 쌓으려고 할 때 왼쪽 옆에서 본 서로 다른 모양은 모두 몇 가지인지 구하시오.

위

앞

측정

7-1. 원주율과 원의 둘레

1 고대 그리스 수학자 아르키메데스는 원의 둘레는 다음 그림과 같이 원의 내부에 꼭 맞는 정다각형의 둘레보다 길고, 원의 외부에 꼭 맞는 정다각형의 둘레보다 짧다는 원리를 이용하여 원주율을 구했습니다. 이와 같은 원리를 이용하여 다음 순서대로 원주율을 어림한 값을 구하시오.

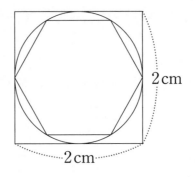

(1) 원의 둘레는 정육각형의 둘레보다 길고, 정사각형의 둘레보다 짧습니다. □ 안에 알맞은 수를 써넣으시오.

정육각형의 둘레   정사각형의 둘레

□cm < (원의 둘레) < □cm

(2) (원주율)＝(원의 둘레)÷(지름)입니다. (1)의 원의 둘레를 이용하여 □ 안에 알맞은 수를 써넣으시오.

□÷(지름)<(원의 둘레)÷(지름)<□÷(지름)

↓

□<(원주율)<□

원의 내부에 꼭 맞는 정다각형과 원의 외부에 꼭 맞는 정다각형을 이용하여 원주율을 어림했습니다.

정육각형 → 정십이각형 → 정이십사각형 → 정사십팔각형 → 정구십육각형

$$3.140845\cdots < (원주율) < 3.142857\cdots$$

(원의 내부의 정구십육각형의 둘레)÷(지름) ←┘   └→ (원의 외부의 정구십육각형의 둘레)÷(지름)

약 3.14로 소수 둘째 자리까지 어림했습니다.

최상위 사고력 A

반지름이 각각 ㉠ cm, ㉡ cm인 두 원 가, 나가 있습니다. 이 두 원의 반지름을 각각 2 cm씩 늘이면 어떤 원의 둘레가 더 많이 늘어나겠습니까? (원주율: 3.14)

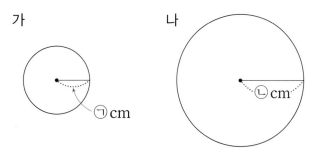

가   나

㉠ cm   ㉡ cm

최상위 사고력 B

반지름이 10 cm인 원 안에 작은 원 3개가 꼭 맞게 들어 있습니다. 작은 원의 중심이 모두 큰 원의 지름 위에 있을 때, 작은 원 3개의 둘레의 합을 구하시오. (원주율: 3.14)

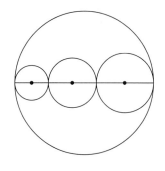

7-2. 직선과 곡선이 있는 도형의 둘레

1 다음은 반원과 직사각형을 겹쳐 놓은 것입니다. 색칠한 부분의 둘레를 구하시오.

(원주율: 3.1)

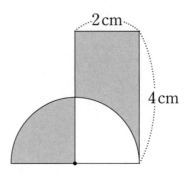

2 민수와 진희는 다음 그림과 같이 직선 구간과 반원 모양의 곡선 구간으로 이루어져 있는 두 개의 레인에서 200 m 달리기 시합을 하기로 했습니다. 한 레인의 폭은 2 m이고, 각 레인의 중간에 있는 점선의 길이를 재어 출발선을 정할 때, 바깥쪽 레인의 출발점은 안쪽 레인의 출발점보다 몇 m 앞에 있어야 합니까? (원주율: 3.14)

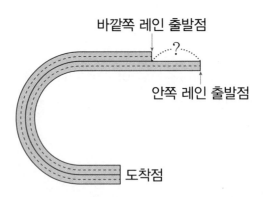

뇌가 번쩍

직선과 곡선이 있는 도형의 둘레는 어떻게 구할까? (원주율: 3.14)

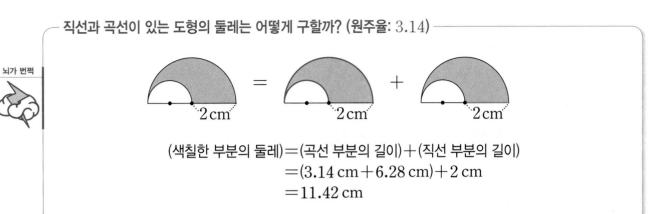

(색칠한 부분의 둘레)＝(곡선 부분의 길이)＋(직선 부분의 길이)
　　　　　　　　　＝(3.14 cm＋6.28 cm)＋2 cm
　　　　　　　　　＝11.42 cm

곡선 부분과 직선 부분의 길이를 각각 구한 후 더합니다.

최상위
사고력

반지름이 10 cm인 두루마리 화장지 4개를 끈으로 묶으려고 합니다. 사용한 끈의 길이가 가장 가장 긴 것의 기호를 쓰시오. (단, 끈의 두께와 매듭은 생각하지 않습니다.) (원주율: 3.1)

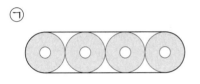

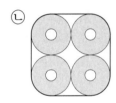

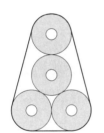

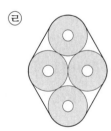

7-3. 부채꼴의 둘레

└── 원의 일부와 두 반지름으로 둘러싸인 부채 모양의 도형

1 다음 도형에서 색칠한 부분의 둘레를 구하시오. (원주율: 3)

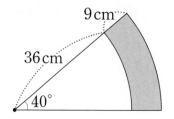

TIP 호: 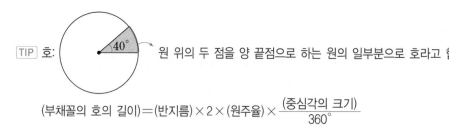 원 위의 두 점을 양 끝점으로 하는 원의 일부분으로 호라고 합니다.

$$(부채꼴의 호의 길이)=(반지름)\times 2\times (원주율)\times \frac{(중심각의 크기)}{360°}$$

2 다음은 한 변의 길이가 3 cm인 정육각형의 각 꼭짓점을 중심으로 하는 부채꼴을 그린 것입니다. 이 도형의 둘레를 구하시오. (원주율: 3)

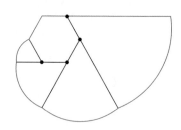

뇌가 번쩍

부채꼴의 호의 길이는?

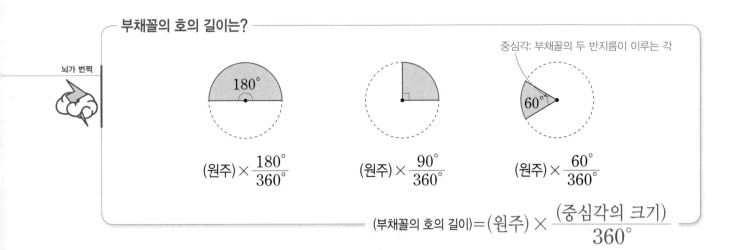

중심각: 부채꼴의 두 반지름이 이루는 각

$$(원주) \times \frac{180°}{360°} \qquad (원주) \times \frac{90°}{360°} \qquad (원주) \times \frac{60°}{360°}$$

$$(부채꼴의 호의 길이) = (원주) \times \frac{(중심각의 크기)}{360°}$$

최상위 사고력

다음은 점 ㄱ과 ㄴ을 원의 중심으로 하고 반지름이 6 cm인 반원 2개를 그린 것입니다. 색칠한 부분의 둘레를 구하시오. (원주율: 3.14)

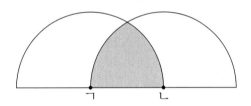

1 다음은 반지름이 다른 2개의 원의 일부를 겹쳐 놓은 것입니다. 색칠한 부분의 둘레를 구하시오. (원주율: 3.1)

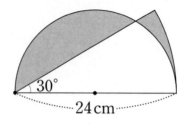

2 반지름이 6 cm인 원 4개가 다음과 같이 서로 붙어 있습니다. 이 도형에서 빨간 선으로 표시된 길이를 구하시오. (원주율: 3.14)

문제풀이

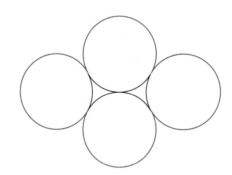

3 다음은 한 변의 길이가 24 cm인 정사각형 안에 같은 크기의 원 16개를 꼭 맞게 그린 것입니다. 색칠한 부분의 둘레를 구하시오. (원주율: 3.1)

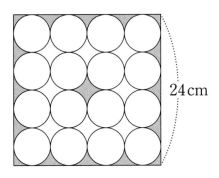

24 cm

| 경시대회 기출 |

4
선화, 수진, 소철이가 1000 m 달리기 시합을 하려고 합니다. 각 레인의 폭은 1 m이고 각자 각 레인의 중간에 있는 점선으로 달려야 합니다. 선화가 달리는 가장 안쪽 레인 한 바퀴의 길이가 400 m일 때, 수진이와 소철이의 출발선은 선화의 출발선보다 각각 몇 m 앞에 있어야 합니까? (원주율: 3)

문제풀이

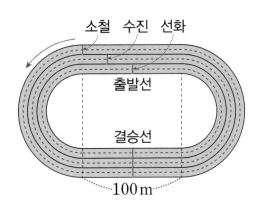

소철 수진 선화

출발선

결승선

100 m

8-1. 폭이 일정한 길 모양의 도형의 넓이

땀이 뻘뻘

1 넓이의 차를 이용하는 방법으로 색칠한 부분의 넓이를 구하시오. (원주율: 3.14)

TIP (부채꼴의 넓이)=(반지름)×(반지름)×(원주율)×$\dfrac{(중심각의 크기)}{360°}$

(1)
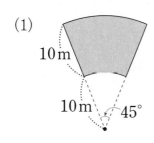

(2)
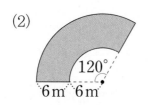

폭이 일정한 길 모양의 도형의 넓이를 간단히 구할 수 있는 방법은?

뇌가 번쩍

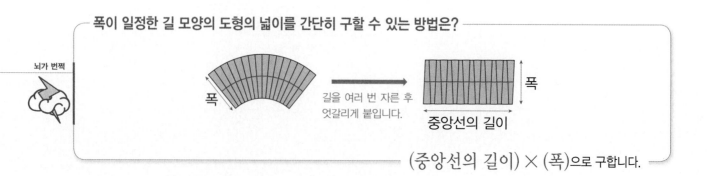

길을 여러 번 자른 후 엇갈리게 붙입니다.

(중앙선의 길이) × (폭)으로 구합니다.

다음은 폭이 10 m로 일정한 자동차 도로를 나타낸 것입니다. 전체 도로의 넓이를 구하시오.

(원주율: 3)

정답과 풀이 55쪽 ▶

(1)
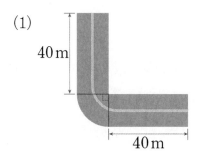

(2)
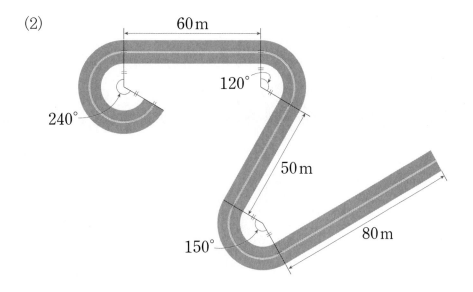

8-2. 색칠한 부분의 넓이(1)

1 원의 내부와 외부에 꼭 맞는 정삼각형이 있습니다. 큰 정삼각형 ㄱㄴㄷ의 넓이가 $12\,\text{cm}^2$ 일 때, 색칠한 정삼각형 ㄹㅁㅂ의 넓이를 구하시오. (원주율: 3)

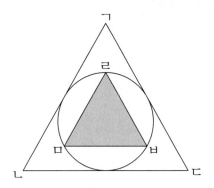

2 한 변의 길이가 $4\,\text{cm}$인 정사각형 안에 지름이 $2\,\text{cm}$인 반원을 8개 그렸습니다. 색칠한 부분의 넓이를 구하시오. (원주율: 3.1)

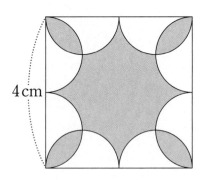

4 cm

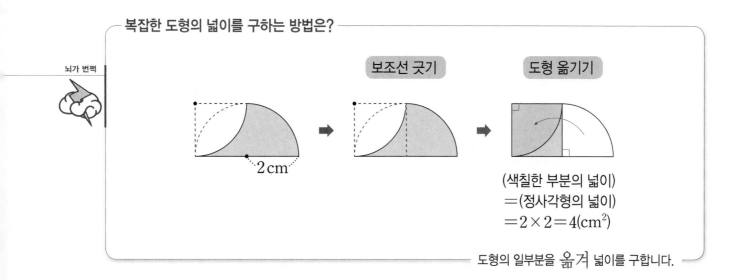

복잡한 도형의 넓이를 구하는 방법은?

보조선 긋기

도형 옮기기

(색칠한 부분의 넓이)
=(정사각형의 넓이)
$=2 \times 2 = 4(cm^2)$

도형의 일부분을 옮겨 넓이를 구합니다.

최상위 사고력

한 변의 길이가 $4\,cm$인 정사각형의 두 변에 반원 2개를 그렸습니다. 점 ㄱ과 점 ㄴ이 두 반원의 곡선 부분의 중점일 때, 색칠한 부분의 넓이를 구하시오. (원주율: 3.14)

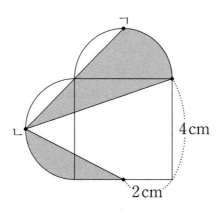

정답과 풀이 56쪽 ▶

8-3. 색칠한 부분의 넓이(2)

1 다음은 반원 모양의 종이 한 쪽에 물감을 묻힌 후 아래로 3 cm 이동한 것입니다. 색칠된 부분의 넓이를 구하시오. (원주율: 3.1)

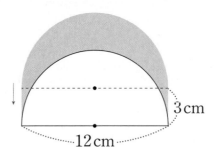

땀이 뻘뻘

2 다음은 2개의 반원을 겹쳐 놓은 것입니다. 빨간색과 보라색으로 색칠한 부분의 넓이가 같을 때, 각 ㉠의 크기를 구하시오. (원주율: 3)

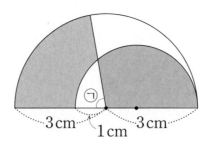

복잡한 도형에서 색칠한 부분의 넓이를 구하는 방법은?

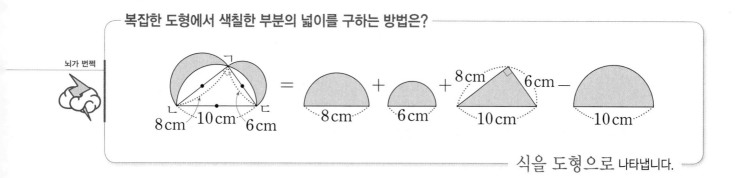

식을 도형으로 나타냅니다.

최상위 사고력

정사각형 ㄱㄴㄷㄹ의 넓이가 $100\,\text{cm}^2$이고, 삼각형 ㄱㄴㅁ의 넓이가 $58\,\text{cm}^2$입니다. 또한 곡선 ㄱㄷ은 정사각형 ㄱㄴㄷㄹ의 한 변을 반지름으로 하는 원의 일부일 때 색칠한 부분의 넓이를 구하시오. (원주율: 3.14)

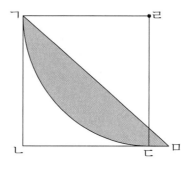

정답과 풀이 58쪽 ▶

1 다음은 직사각형 안에 직각삼각형과 원의 일부를 그린 것입니다. 파란색과 빨간색으로 색칠한 부분의 넓이가 같을 때, 직사각형 ㄱㄴㄷㄹ의 넓이를 구하시오. (원주율: 3.14)

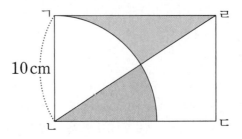

| 경시대회 기출 |

2 다음은 반지름이 2 cm인 원 9개를 겹쳐서 그린 것입니다. 색칠한 부분의 넓이를 구하시오.

(원주율: 3.1)

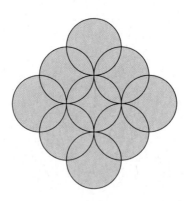

3 | 경시대회 기출 |
다음은 직사각형 ㄱㄴㄷㄹ을 점 ㄷ을 중심으로 $90°$ 회전시킨 것입니다. 색칠한 부분의 넓이를 구하시오. (원주율: 3)

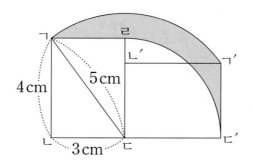

4
문제풀이

다음은 반지름이 $12\,\mathrm{cm}$인 사분원을 3등분한 후, 지름이 $12\,\mathrm{cm}$인 반원을 그린 것입니다. 색칠한 부분의 넓이를 구하시오. (원주율: 3.14)

9-1. 묶인 끈으로 만들 수 있는 도형의 최대 넓이

1 한 변의 길이가 5 cm인 정삼각형 모양의 색종이의 한 꼭짓점에 7 cm 길이의 실을 고정시키고 또 다른 한쪽 끝에 연필을 고정시킵니다. 연필로 그릴 수 있는 넓이가 가장 큰 도형을 그려 보시오.

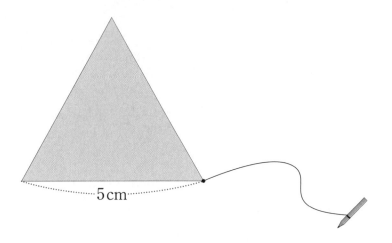

2 직사각형 모양의 울타리의 한 모퉁이에 길이가 10 m인 줄로 양을 묶어 놓았습니다. 이 양이 움직일 수 있는 땅의 최대 넓이를 구하시오. (원주율: 3)

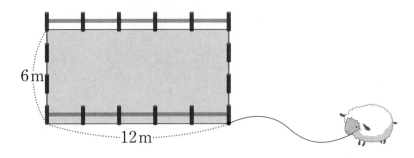

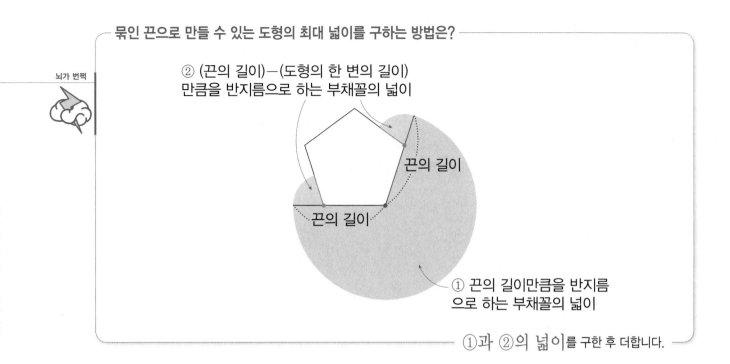

묶인 끈으로 만들 수 있는 도형의 최대 넓이를 구하는 방법은?

② (끈의 길이)−(도형의 한 변의 길이)
만큼을 반지름으로 하는 부채꼴의 넓이

끈의 길이

끈의 길이

① 끈의 길이만큼을 반지름
으로 하는 부채꼴의 넓이

①과 ②의 넓이를 구한 후 더합니다.

**최상위
사고력**

직각삼각형 모양의 울타리의 한 점에 길이가 18 m인 줄로 소를 묶어 놓았습니다. 이 소가 움직일 수 있는 땅의 넓이가 최대일 때, 이 땅의 둘레는 몇 m입니까? (원주율: 3)

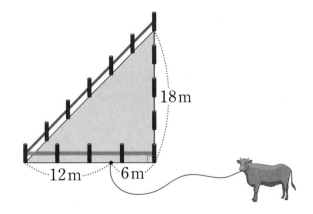

12 m 6 m 18 m

정답과 풀이 61쪽 ▶

9-2. 원의 중심이 지나간 경로의 길이

1 다음과 같이 원과 정사각형 모양의 길 위를 반지름이 1 cm인 원이 시계 방향으로 굴러갑니다. 원이 원래 자리까지 한 바퀴 돌았을 때 원의 중심이 지나간 경로의 길이를 구하시오.
(원주율: 3.14)

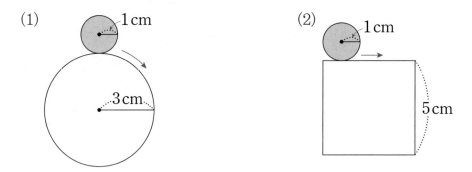

(1) 1 cm 3 cm

(2) 1 cm 5 cm

2 반지름이 3 cm인 원이 다음과 같은 길 위를 굴러갈 때 원의 중심이 지나간 경로의 길이를 구하시오. (원주율: 3.1)

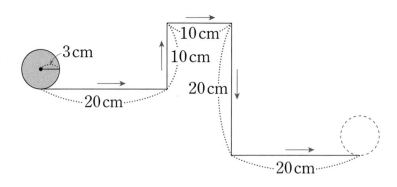

3 cm 20 cm 10 cm 10 cm 20 cm 20 cm

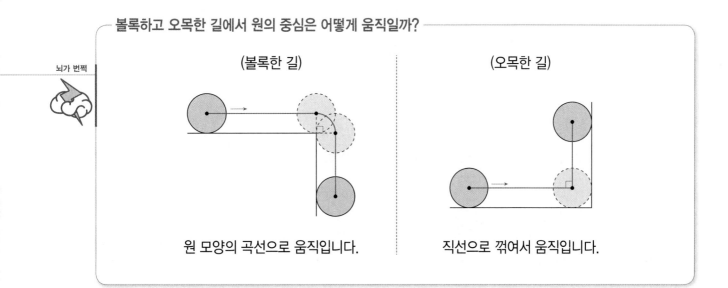

볼록하고 오목한 길에서 원의 중심은 어떻게 움직일까?

(볼록한 길)

원 모양의 곡선으로 움직입니다.

(오목한 길)

직선으로 꺾여서 움직입니다.

최상위
사고력

다음은 반지름이 3 cm인 원 3개를 원의 중심이 일직선상에 있도록 늘어놓은 것입니다. 가장 오른쪽에 있는 원이 남은 두 원 위로 시계 반대 방향으로 굴러갑니다. 원이 원래 자리까지 한 바퀴 돌았을 때 원의 중심이 지나간 경로의 길이를 구하시오. (원주율: 3.14)

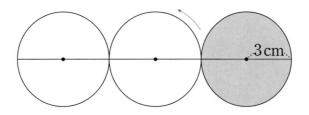

3 cm

정답과 풀이 62쪽 ▶

9-3. 삼각형의 꼭짓점이 지나간 경로의 길이

1 한 변의 길이가 $2\,cm$인 정삼각형을 $10\,cm$ 길이의 직선 길 위로 끝까지 굴립니다. 점 ㄱ이 지나간 경로의 길이를 구하시오. (원주율: 3.14)

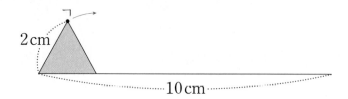

땀이 뻘뻘

2 다음과 같은 직각이등변삼각형을 직선 길 위로 한 바퀴 회전시켰을 때 점 ㄱ이 지나간 경로의 길이를 구하시오. (원주율: 3)

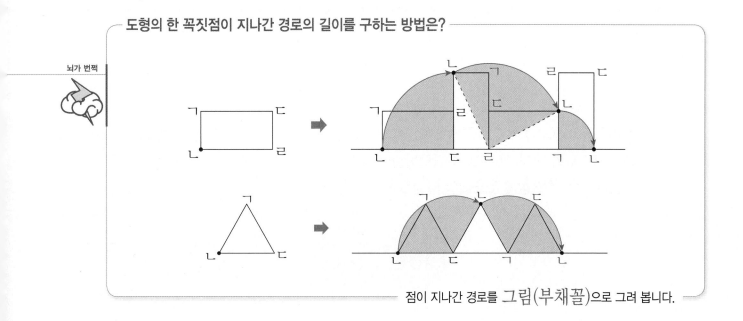

점이 지나간 경로를 그림(부채꼴)으로 그려 봅니다.

최상위 사고력

한 변의 길이가 $3\,\text{cm}$인 정삼각형을 한 변의 길이가 $9\,\text{cm}$인 정사각형의 안쪽 변을 따라 다음과 같이 굴립니다. 정사각형의 네 변을 따라 정삼각형을 굴려서 처음 출발한 위치로 돌아올 때, 점 ㄱ이 지나간 경로의 길이를 구하시오. (원주율: 3)

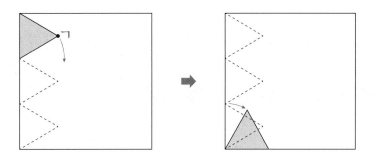

최상위 사고력

| 경시대회 기출 |

1 100원짜리 동전 2개가 나란히 놓여 있습니다. 왼쪽 동전을 오른쪽 동전 위로 점 ㄱ까지 굴릴 때, 굴린 후의 숫자 100의 모양을 방향에 맞게 ⬚ 안에 써넣으시오. (단, 점 ㄱ은 두 동전의 중심을 잇는 직선상에 있습니다.) (원주율: 3.14)

2 가로 10 cm, 세로 6 cm인 직사각형의 둘레를 따라 지름이 2 cm인 원의 중심이 이동하고 있습니다. 원의 중심이 직사각형의 둘레를 따라 한 바퀴 돌았을 때 원이 지나간 부분의 넓이를 구하시오. (원주율: 3.14)

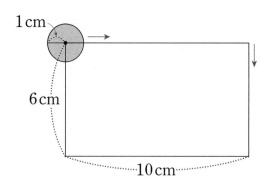

3 한 변의 길이가 $2\,cm$인 정사각형을 직선 길을 따라 오른쪽으로 굴립니다. 점 ㄴ이 다시 처음으로 땅에 닿을 때까지 굴렸을 때 점 ㄴ이 지나간 경로의 길이를 구하시오. (원주율: 3)

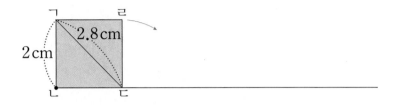

4 지름이 $12\,cm$인 반원 2개가 있습니다. 파란색 반원이 초록색 반원 주위를 미끄러지지 않게 화살표 방향으로 회전하여 한 바퀴 돌아 처음 출발한 위치로 돌아왔을 때, 파란색 반원의 중심 ㅇ이 지나간 경로의 길이를 구하시오. (원주율: 3.14)

문제풀이

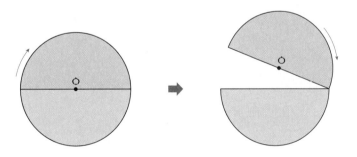

정답과 풀이 65쪽 ▶

1 지구보다 반지름이 $1\,km$ 더 긴 행성이 있습니다. 지구의 반지름이 $6400\,km$라고 할 때 이 행성의 적도의 둘레는 지구의 적도의 둘레보다 몇 km 더 긴지 구하시오. (단, 이 행성과 지구는 모두 완전한 구이고, 적도의 둘레는 구의 중심을 지나는 단면의 원의 둘레입니다.)

(원주율: 3.14)

2 다음은 반지름이 $2\,cm$인 큰 원 안에 반지름이 $1\,cm$인 작은 원 4개를 그린 것입니다. 색칠한 부분의 넓이를 구하시오. (원주율: 3.1)

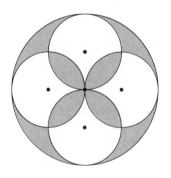

3 다음 도형의 색칠한 부분의 넓이를 구하시오. (원주율: 3)

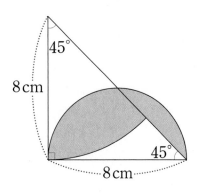

4 한 변의 길이가 3 cm인 정삼각형을 직선 길 위로 31번 굴립니다. 점 ㄱ이 지나간 경로의 길이를 구하시오. (원주율: 3)

정답과 풀이 67쪽 ▶

5 다음 도형의 색칠한 부분의 둘레를 구하시오. (원주율: 3.14)

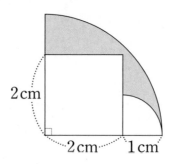

6 다음은 반지름이 3 cm인 원 5개를 원의 중심이 일직선상에 있도록 늘어놓은 것입니다. 파란색 원이 남은 네 원 위로 시계 방향으로 굴러 갑니다. 파란색 원이 보라색 원의 오른쪽에 나란히 놓일 때까지 파란색 원의 중심이 지나간 경로의 길이를 구하시오. (원주율: 3.1)

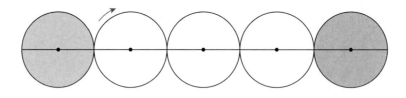

정답과 풀이 67쪽 ▶

도형 (2)

10-1. 회전체

1 다음 물음에 답하시오.

(1) 다음 평면도형을 주어진 직선을 회전축으로 하여 1회전시켰을 때 생기는 회전체를 그려 보시오.

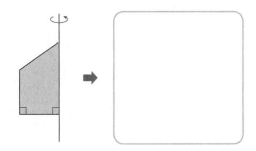

(2) 어떤 평면도형을 주어진 직선을 회전축으로 하여 1회전시켰더니 오른쪽과 같은 회전체가 되었습니다. 회전시키기 전의 평면도형을 그려 보시오.

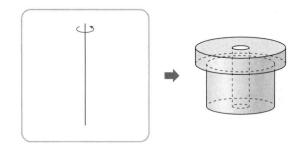

TIP • 회전체: 평면도형을 한 직선을 축으로 하여 1회전시킬 때 생기는 입체도형
• 회전축: 회전시킬 때 축으로 사용한 직선

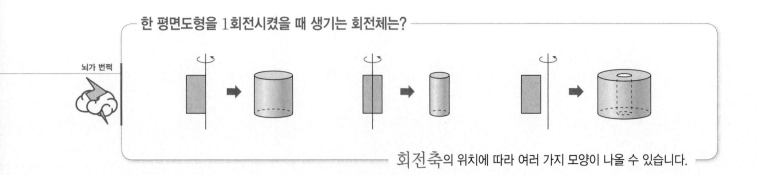

한 평면도형을 1회전시켰을 때 생기는 회전체는?

뇌가 번쩍

회전축의 위치에 따라 여러 가지 모양이 나올 수 있습니다.

2 다음 사각형의 각 변을 회전축으로 하여 1회전시켰을 때 생기는 회전체가 <u>아닌</u> 것을 고르 시오.

정답과 풀이 69쪽 ▶

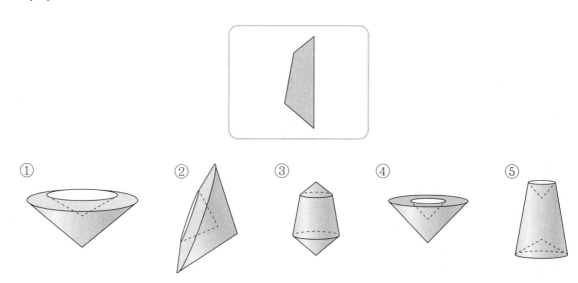

① ② ③ ④ ⑤

최상위 사고력 다음 중 삼각형을 1회전시켰을 때 생기는 회전체를 모두 고르시오.

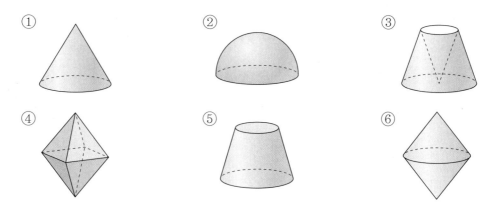

① ② ③

④ ⑤ ⑥

10-2. 회전체를 위, 앞, 옆에서 본 모양

1 다음 회전체를 위, 앞, 옆에서 본 모양을 그려 보시오.

회전체	위	앞	옆

한 방향에서 본 모양으로 어떤 회전체인지 알 수 있을까?

위에서 본 모양	회전체
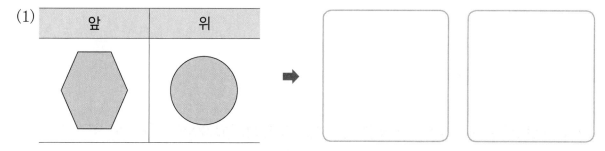	

(이외에도 여러 가지가 있습니다.)

최상위 사고력

다음은 어떤 회전체를 주어진 방향에서 본 모양입니다. 회전체의 겨냥도를 2개 그려 보시오.

(1)

앞	위

➡

(2)

앞	옆

➡

10-3. 회전체의 단면

1 원뿔을 한 평면으로 자를 때 생기는 단면을 그려 보시오.

자르는 방법	단면	자르는 방법	단면

2 왼쪽 평면도형을 주어진 직선을 회전축으로 하여 1회전시켜 회전체를 만들었습니다. 이 회전체를 평면으로 자를 때 만들어지지 <u>않는</u> 단면을 모두 고르시오.

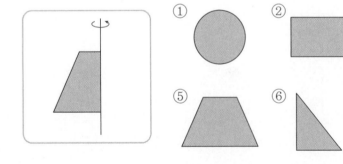

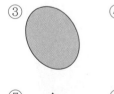

① ② ③ ④

⑤ ⑥ ⑦ ⑧

회전체를 자른 단면의 특징은?

뇌가 번쩍

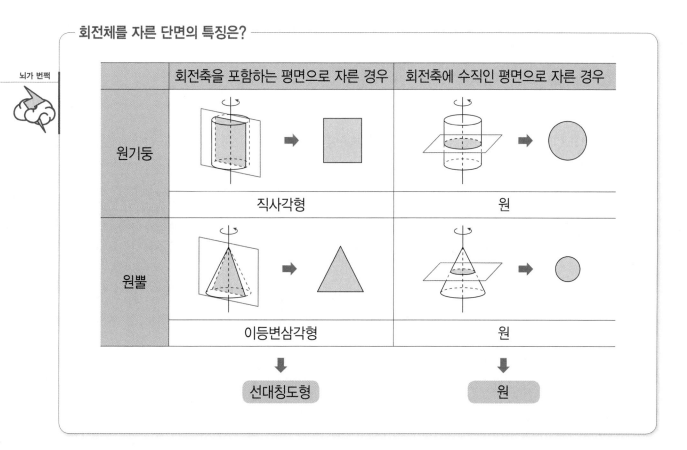

	회전축을 포함하는 평면으로 자른 경우	회전축에 수직인 평면으로 자른 경우
원기둥	직사각형	원
원뿔	이등변삼각형	원
	↓ 선대칭도형	↓ 원

최상위 사고력

어떤 회전체의 단면이 다음과 같을 때 이 회전체를 회전시키기 전의 평면도형과 회전축을 그려 보시오.

회전체를 자르는 방법			
단면			

최상위 사고력

| 경시대회 기출 |

1 가, 나 두 평면도형을 주어진 직선을 회전축으로 하여 1회전시켰을 때 생기는 회전체의 모양은 같습니다. 평면도형 나를 그려 보시오.

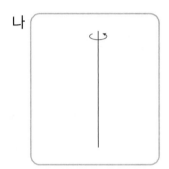

2 다음 평면도형을 주어진 직선을 회전축으로 하여 1회전시켜 회전체를 만들었습니다. 이 회전체를 평면으로 자를 때 만들어지지 <u>않는</u> 단면을 모두 고르시오.

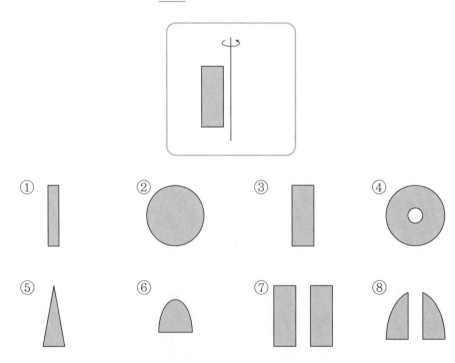

3 다음은 똑같은 평면도형을 회전축의 위치를 바꾸어 가며 1회전시켰을 때 생기는 회전체를 그린 것입니다. 각각의 평면도형에 회전축을 그려 보시오.

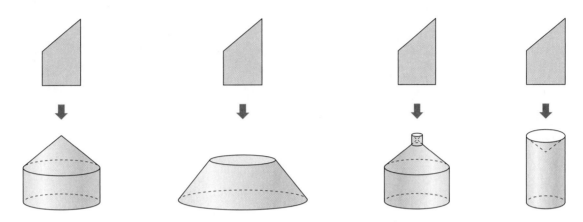

4 정육면체의 한 대각선 ㄹㅂ을 회전축으로 하여 파란색 선을 1회전시켰을 때 나오는 회전체는 어떤 것인지 고르시오.

문제풀이

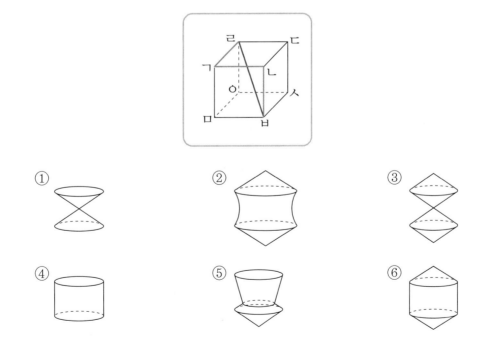

11-1. 입체도형에서의 최단거리

1 다음 그림과 같이 무늬가 있는 원뿔의 전개도를 접었을 때의 모양으로 알맞은 것을 찾아 기호를 쓰시오.

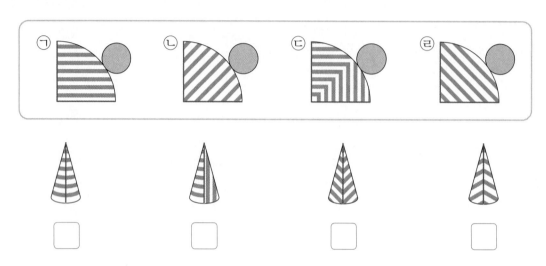

땀이 뻘뻘

2 가는 직육면체의 꼭짓점 ㄱ에서 꼭짓점 ㄴ으로 주어진 세 면을 지나도록 실을 가장 짧게 이은 것입니다. 나는 원기둥의 점 ㄱ에서 점 ㄴ으로 실을 가장 짧게 두 바퀴 감은 것입니다. 가와 나에 사용한 실 중에서 더 짧은 실은 어느 것입니까? (원주율: 3.14)

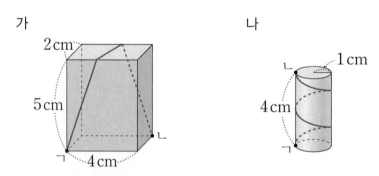

입체도형에서 두 점을 잇는 최단거리는 어떻게 구할까?

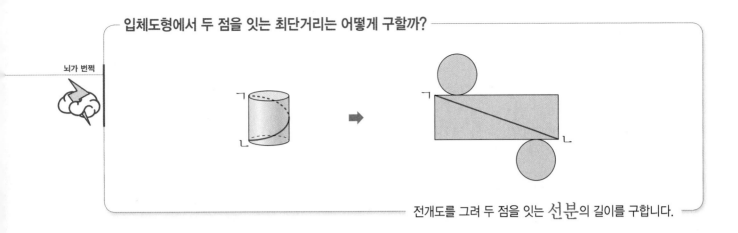

전개도를 그려 두 점을 잇는 선분의 길이를 구합니다.

**최상위
사고력**

왼쪽 그림의 전개도를 접어 원뿔을 만들었습니다. 점 ㄱ에서 출발하여 원뿔의 옆면을 따라 한 바퀴 돌아 다시 점 ㄱ까지 오는 가장 짧은 선의 길이는 몇 cm입니까?

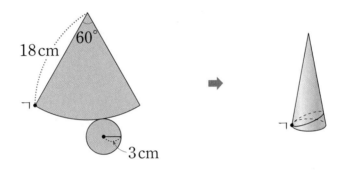

정답과 풀이 74쪽 ▶

11-2. 원뿔의 겉넓이

1 다음 그림에서 각 ㉠의 크기를 구하시오. (원주율: 3.14)

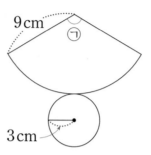

9cm

㉠

3cm

2 다음 그림과 같이 원뿔의 옆면을 바닥에 닿도록 놓고 점 ㅇ을 중심으로 밑면을 2바퀴 굴렸습니다. 바닥에 닿은 부분의 넓이는 몇 cm²입니까? (원주율: 3.14)

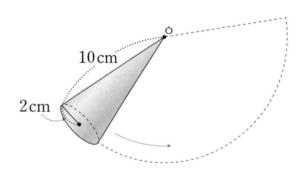

10cm

2cm

원뿔의 모선과 밑면인 원의 반지름을 알면 구할 수 있는 것은?
→ 원뿔의 전개도에서 부채꼴의 반지름

뇌가 번쩍

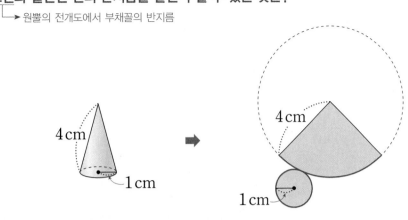

(옆면인 부채꼴의 호의 길이)＝(밑면인 원의 둘레)

➡ (모선의 길이)×2×3.14×$\dfrac{(옆면인\ 부채꼴의\ 중심각의\ 크기)}{360°}$

＝(밑면인 원의 반지름)×2×3.14

➡ (옆면인 부채꼴의 중심각의 크기)＝360°×$\dfrac{(밑면인\ 원의\ 반지름)}{(모선의\ 길이)}$＝$360°×\dfrac{1}{4}=90°$

전개도에서 부채꼴의 중심각의 크기를 구할 수 있습니다.

최상위
사고력

다음은 원뿔을 회전축과 수직인 평면으로 잘라낸 도형입니다. 이 입체도형의 겉넓이를 구하시오. (원주율: 3)

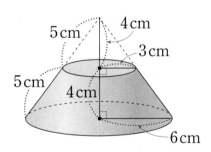

11-3. 구멍이 뚫린 원기둥의 겉넓이

1 다음과 같이 가운데 부분이 뚫린 원기둥의 겉넓이는 몇 cm^{2}입니까? (원주율: 3)

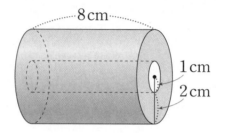

2 다음은 밑면의 반지름이 10 cm이고, 높이가 10 cm인 원기둥에서 밑면의 반지름이 8 cm, 높이가 5 cm인 원기둥 모양으로 파내고, 또 밑면의 반지름이 5 cm, 높이가 2 cm 인 원기둥 모양으로 더 파낸 도형입니다. 이 도형의 겉넓이를 구하시오. (원주율: 3.14)

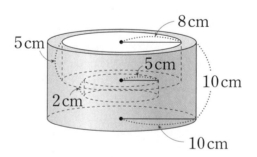

파낸 부분이 있는 원기둥의 겉넓이를 간단히 구하는 방법은?

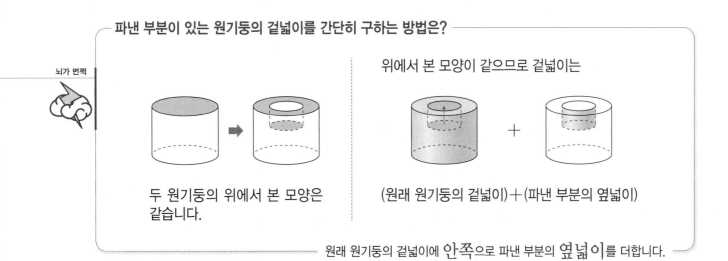

두 원기둥의 위에서 본 모양은
같습니다.

위에서 본 모양이 같으므로 겉넓이는

(원래 원기둥의 겉넓이)＋(파낸 부분의 옆넓이)

원래 원기둥의 겉넓이에 **안쪽**으로 파낸 부분의 **옆넓이**를 더합니다.

**최상위
사고력**

다음은 밑면의 반지름이 각각 $2\,cm$, $3\,cm$, $5\,cm$이고 높이가 모두 $2\,cm$로 같은 원기둥 3개를 쌓은 것입니다. 이 도형의 겉넓이를 구하시오. (원주율: 3)

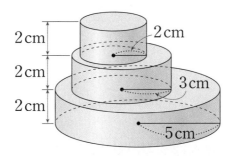

1 주어진 입체도형의 옆면의 전개도를 고르시오.

① ② ③ ④ ⑤

| 경시대회 기출 |

2 다음 원뿔의 전개도의 둘레를 구하시오. (원주율: 3.14)

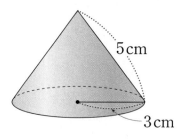

5 cm

3 cm

3 한 변의 길이가 $10\,\text{cm}$인 정삼각형을 회전축을 중심으로 1회전시켰을 때 생기는 회전체의 겉넓이는 몇 cm^2인지 구하시오. (원주율: 3)

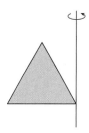

4 한 모서리의 길이가 $10\,\text{cm}$인 정육면체에 밑면의 반지름이 $1\,\text{cm}$인 원기둥 모양의 구멍을 뚫으려고 합니다. 구멍 뚫린 입체도형의 겉넓이가 정육면체 겉넓이의 2배보다 크게 되려면 최소 몇 개의 구멍을 뚫어야 합니까? (단, 구멍이 겹치지 않도록 뚫습니다.) (원주율: 3.14)

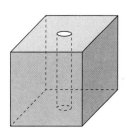

정답과 풀이 78쪽 ▶

12-1. 원기둥과 원뿔의 부피

땀이 뻘뻘

1 다음 입체도형의 부피를 구하시오. (원주율: 3)

(1)

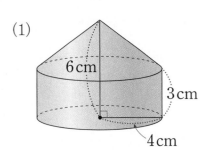

(2)

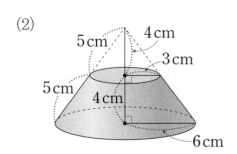

원뿔의 부피는 어떻게 구할 수 있을까?

뇌가 번쩍

원기둥과 밑면의 넓이와 높이가 각각 같은 원뿔에 물을 가득 담아 원기둥에 부으면 3번 만에 가득 채울 수 있습니다.

원뿔의 부피는 원기둥 부피의 $\frac{1}{3}$입니다.

(원뿔의 부피)$= \frac{1}{3} \times$ (밑면의 넓이)$\times$ (높이)

최상위
사고력
A

물통 가에 가득 들어 있는 물을 비어 있는 물통 나에 모두 부으면 물통 나에 담기는 물의 높이는 몇 cm가 됩니까? (단, 물통의 두께는 생각하지 않습니다.) (원주율: 3.14)

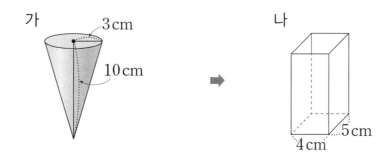

최상위
사고력
B

왼쪽과 같은 직각삼각형 2개를 오른쪽과 같이 서로 꼭짓점이 맞닿도록 놓은 후 회전축을 중심으로 1회전시켰을 때 생기는 회전체의 부피는 몇 cm³입니까? (원주율: 3)

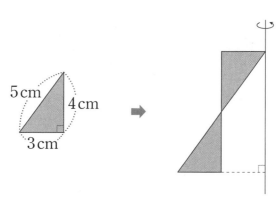

12-2. 회전체의 부피

1 가로가 $4\,\mathrm{cm}$, 세로가 $2\,\mathrm{cm}$인 직사각형을 가로와 세로를 각각 회전축으로 하여 1회전시 켰을 때 생기는 회전체 가와 나 중에서 부피가 더 큰 것은 어느 것입니까? (원주율: 3.14)

가   나

2 넓이가 $12\,\mathrm{cm}^2$인 직사각형의 한 변을 회전축으로 하여 1회전시켜 부피가 가장 큰 원기둥을 만들려고 합니다. 이 원기둥의 부피는 몇 cm^3입니까? (단, 직사각형의 모든 변의 길이는 자연수입니다.) (원주율: 3.1)

땀이 뻘뻘

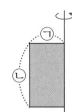

직사각형의 세로를 회전축으로 하여 1회전시켜 만든 원기둥의 부피는?

예 직사각형의 넓이가 10cm²일 때(원주율: 3.14)

(직사각형의 넓이)＝㉠×㉡＝10(cm²)

(원기둥의 부피)＝㉠×㉠×3.14×㉡＝㉠×31.4(cm³)

㉠×㉡＝10

직사각형의 가로가 길수록 커집니다.

최상위 사고력

둘레가 12cm인 직사각형의 한 변을 회전축으로 하여 1회전시켜 원기둥을 만들려고 합니다. 물음에 답하시오. (단, 직사각형의 모든 변의 길이는 자연수입니다.) (원주율: 3.14)

(1) 만들 수 있는 원기둥 중에서 부피가 가장 큰 원기둥의 부피를 구하시오.

(2) (1)에서 알 수 있는 사실을 이용하여 둘레가 18 cm인 직사각형의 한 변을 회전축으로 하여 1회전시켜 원기둥을 만들었습니다. 만들 수 있는 원기둥 중에서 부피가 가장 큰 원기둥의 부피를 구하시오.

정답과 풀이 80쪽 ▶

12-3. 여러 가지 입체도형의 부피

1 다음은 원기둥을 비스듬하게 자른 것입니다. 이 입체도형의 부피는 몇 cm^3입니까?

(원주율: 3)

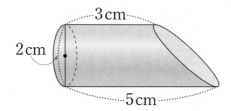

2 민수는 $1200\,mL$ 들이의 병에 든 주스를 마시고 왼쪽과 같이 남겼습니다. 이 병을 거꾸로 세우면 오른쪽과 같이 된다고 할 때 마시고 남은 주스는 몇 mL인지 구하시오. (단, $1\,mL=1\,cm^3$이고, 병의 두께는 생각하지 않습니다.) (원주율: 3.14)

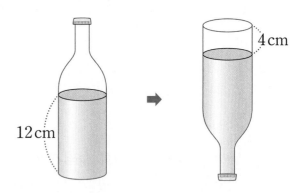

부피를 구하기 어려운 입체도형의 부피는 어떻게 구할까?

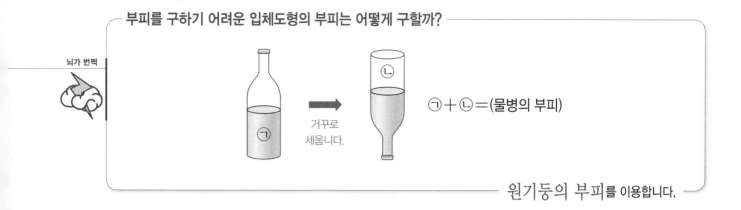

거꾸로
세웁니다.

㉠＋㉡＝(물병의 부피)

원기둥의 부피를 이용합니다.

**최상위
사고력**

다음 그림과 같이 큰 원기둥 위에 작은 원기둥이 올려진 모양의 물통에 물을 부은 후, 물통의 입구를 막고 거꾸로 세웠더니 물의 높이가 3 cm 높아졌습니다. 반지름이 작은 원기둥의 높이는 몇 cm인지 구하시오. (단, 물통의 두께는 생각하지 않습니다.) (원주율: 3.1)

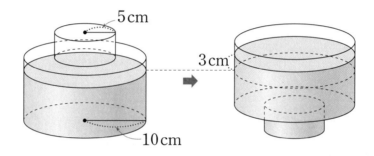

최상위 사고력

| 경시대회 기출 |

1 다음은 지름이 $4 \, \text{cm}$인 원기둥의 양쪽을 같은 각도로 비스듬히 자른 것입니다. 이 입체도형의 부피는 몇 cm^3입니까? (원주율: 3.14)

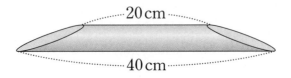

2 넓이가 $20 \, \text{cm}^2$인 직사각형의 한 변을 회전축으로 하여 1회전시켜 원기둥을 만들었습니다. 최대 부피는 최소 부피의 몇 배입니까? (단, 직사각형의 모든 변의 길이는 자연수입니다.)

(원주율: 3)

3 어떤 음료수 회사에서 다음 가, 나, 다의 세 가지 병 중에서 병을 만드는 데 재료를 가장 적게 사용하여 만들 수 있는 병에 음료수를 담아 출시하였습니다. 출시된 병의 기호를 쓰시오. (단, 병의 두께는 같습니다.) (원주율: 3)

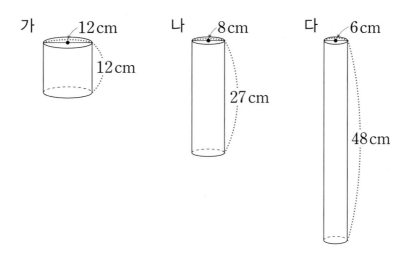

| 경시대회 기출 |

4 12 cm만큼 물이 담긴 원기둥 모양의 물통이 있습니다. 이 물통에 구멍이 뚫린 원기둥 모양의 쇠 모형을 물통의 바닥에 밑면이 닿도록 수직으로 넣었을 때 물통의 물의 높이는 몇 cm가 되는지 소수 첫째 자리에서 반올림하여 구하시오. (단, 물통의 두께는 생각하지 않습니다.)

(원주율: 3)

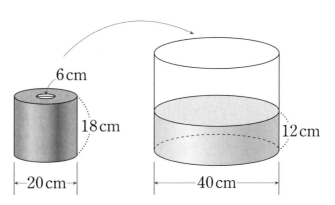

정답과 풀이 83쪽 ▶

1 원뿔 위의 세 점 ㄱ, ㄴ, ㄷ은 같은 모선 위에 있고 점 ㄴ은 선분 ㄱㄷ의 중점입니다. 점 ㄷ에서 출발하여 원뿔의 옆면을 한 바퀴 돌아 점 ㄴ까지 가는 최단 경로를 알아보려고 합니다. 원뿔의 옆면의 전개도를 그리고 최단 경로를 전개도에 나타내 보시오.

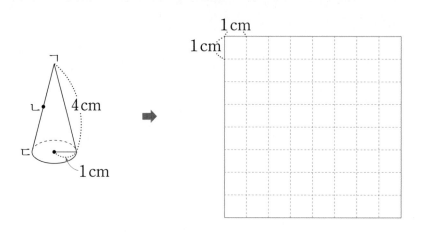

2 다음은 똑같은 평면도형을 회전축의 위치를 바꾸어 가며 1회전시켰을 때 생기는 회전체를 그린 것입니다. 각각의 평면도형에 회전축을 그려 보시오.

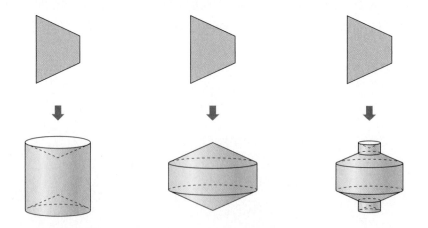

3 다음과 같이 밑면의 반지름이 1 cm인 원기둥을 밑면과 평행한 평면으로 10번 잘랐습니다. 잘린 원기둥의 겉넓이의 합은 몇 cm²입니까? (원주율: 3.14)

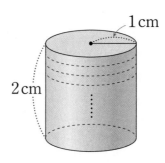

4 넓이가 18 cm²인 직사각형의 한 변을 회전축으로 하여 1회전시켜 부피가 가장 큰 원기둥을 만들려고 합니다. 만들어지는 원기둥의 부피는 몇 cm³입니까? (단, 직사각형의 모든 변의 길이는 자연수입니다.) (원주율: 3)

정답과 풀이 84쪽 ▶

5 원기둥을 한 평면으로 잘랐을 때 생기는 단면의 모양이 될 수 <u>없는</u> 것을 모두 고르시오.

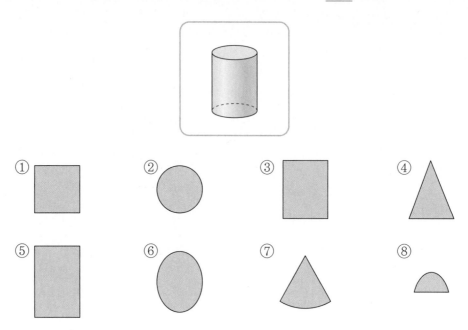

6 직사각형 3개로 이루어진 도형을 주어진 직선을 회전축으로 하여 1회전시켜 입체도형을 만들었습니다. 이 입체도형의 부피와 겉넓이는 각각 얼마입니까? (원주율: 3)

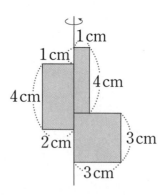

규칙성과 문제해결력

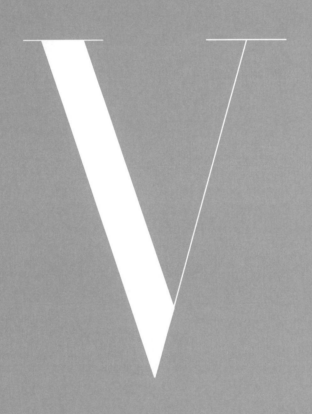

규칙성과 문제해결력

13-1. 무게가 가벼운 금화 찾기

1 다음과 같이 모양과 크기가 모두 같은 금화 3개가 있습니다. 이 중에는 무게가 가벼운 가짜 금화 1개가 섞여 있습니다. 양팔저울을 한 번만 사용하여 가짜 금화를 찾는 방법을 설명하시오.

2 11개의 금화 중에서 1개의 금화가 다른 금화보다 가볍습니다. 양팔저울을 사용하여 무게가 가벼운 가짜 금화 1개를 찾아내려고 할 때 양팔저울을 최소 몇 번 사용해야 합니까?

양팔저울을 최소로 사용하여 무게가 가벼운 금화 1개를 찾을 수 있는 방법은?

예) 8개의 금화 중에서 가벼운 금화 1개를 찾으려면?

➡ 금화를 (㉮, ㉯, ㉰), (㉱, ㉲, ㉳), (㉴, ㉵) 세 묶음으로 나누어 생각합니다.

경우 1 (㉮, ㉯, ㉰) = (㉱, ㉲, ㉳)인 경우

㉴ > ㉵ 또는 ㉴ < ㉵

경우 2 (㉮, ㉯, ㉰) > (㉱, ㉲, ㉳)인 경우

㉱ = ㉲이면 ㉳가 가벼운 금화

㉱ > ㉲이면 ㉲가 가벼운 금화

㉱ < ㉲이면 ㉱가 가벼운 금화

경우 3 (㉮, ㉯, ㉰) < (㉱, ㉲, ㉳)인 경우

경우 2 와 같은 방법으로 알아볼 수 있습니다.

금화를 세 묶음으로 나누어 비교하면 최소 횟수로 찾을 수 있습니다.

최상위 사고력 나사를 만드는 어느 공장에서 99개의 나사를 만들었는데 이 중에 1개는 무게가 가벼운 불량 나사입니다. 양팔저울을 사용하여 불량 나사를 찾으려고 할 때 양팔저울을 최소 몇 번 사용해야 합니까?

13-2. 무게를 알 수 없는 금화 찾기

땀이 뻘뻘

1 4개의 금화 ①, ②, ③, ④ 중에 1개의 가짜 금화가 섞여 있습니다. 가짜 금화가 진짜 금화보다 가벼운지 무거운지 모른다고 할 때 양팔저울을 2번 사용하여 가짜 금화를 찾아내려고 합니다. 다음 표의 빈칸을 알맞게 채우시오.

1번	2번	가짜 금화
①=②	①=③	④
	①>③	③
①>②		
①<②		

뇌가 번쩍

가짜 금화의 무게가 가벼운지 무거운지 모를 때 양팔저울은 최소 몇 번 사용해야 할까?

예 3개의 금화 ㉮, ㉯, ㉰ 중 가짜 금화를 찾으려면?

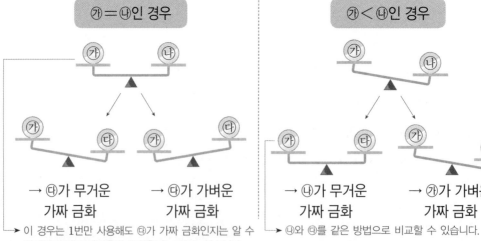

㉮=㉯인 경우

→ ㉰가 무거운 가짜 금화

→ ㉰가 가벼운 가짜 금화

→ 이 경우는 1번만 사용해도 ㉰가 가짜 금화인지는 알 수 있지만 무게가 가벼운지 무거운지는 알 수 없습니다.

㉮<㉯인 경우

→ ㉯가 무거운 가짜 금화

→ ㉮가 가벼운 가짜 금화

→ ㉯와 ㉰를 같은 방법으로 비교할 수 있습니다.

➡ 최소 2번 사용하면 알 수 있습니다.

최상위
사고력
A

9개의 금화 ①~⑨ 중에 1개의 가짜 금화가 섞여 있습니다. 가짜 금화가 진짜 금화보다 가벼운지 무거운지 모른다고 할 때 양팔저울을 3번 사용하여 가짜 금화를 찾아내려고 합니다. 다음 표의 빈칸을 알맞게 채우시오.

1번	2번	3번	가짜 금화	가짜 금화의 무게
①②③=④⑤⑥	⑦=⑧	①>⑨	⑨	가볍습니다.
		①<⑨		
	⑦>⑧	⑦=①		
	⑦<⑧			
		⑦<①		
①②③>④⑤⑥	①④=②⑤	⑦=③		
	①④>②⑤			
	①④<②⑤			
①②③<④⑤⑥	①②③>④⑤⑥인 경우와 같은 방법으로 찾을 수 있습니다.			

최상위
사고력
B

41개의 금화 중에 1개의 가짜 금화가 섞여 있습니다. 가짜 금화가 진짜 금화보다 가벼운지 무거운지 알기 위해서는 양팔저울을 최소 몇 번 사용해야 하는지 구하시오.

13-3. 구슬의 무게 순서 정하기

1 모양과 크기, 색깔은 같지만 무게가 서로 다른 구슬 4개가 있습니다. 양팔저울로 무게를 재어 구슬을 무거운 것부터 순서대로 놓으려고 할 때 양팔저울을 최소 몇 번 사용해야 하는지 구하시오.

땀이 뻘뻘

2 모양과 크기, 색깔은 같지만 무게가 서로 다른 사탕 5개가 있습니다. 양팔저울로 무게를 재어 사탕을 가벼운 것부터 순서대로 놓으려고 할 때 양팔저울을 최소 몇 번 사용해야 하는지 구하시오.

서로 다른 구슬 3개의 무게의 순서를 정하려면 양팔저울을 최소 몇 번 사용해야 할까?

3개의 구슬을 ㉠, ㉡, ㉢라고 하면

1번	2번	3번	무게의 순서	양팔저울을 사용한 횟수
㉠ < ㉡	㉠ > ㉢		㉢ < ㉠ < ㉡	2번
	㉠ < ㉢	㉡ > ㉢	㉠ < ㉢ < ㉡	3번
		㉡ < ㉢	㉠ < ㉡ < ㉢	

㉡와 ㉢의 무게의 순서는
아직 알 수 없습니다.

양팔저울을 최소 3번 사용해야 합니다.

최상위 사고력

민우네 반 학생들이 놀이터에 있습니다. 시소를 타서 몸무게를 비교하려고 할 때 시소를 최소 몇 번 타야 몸무게의 순서를 정할 수 있는지 구하시오. (단, 몸무게가 같은 학생은 없습니다.)

(1) 학생이 6명인 경우

(2) 학생이 7명인 경우

최상위 사고력

1 희수는 모양과 크기가 같은 금화 몇 개를 가지고 있는데 이 중에는 무게가 가벼운 가짜 금화 1개가 섞여 있습니다. 희수가 양팔저울을 최소 2번만 사용하여 가짜 금화를 찾아냈다고 할 때, 희수가 가지고 있는 금화의 개수가 될 수 있는 것을 모두 찾으시오.

① 3개   ② 6개   ③ 8개   ④ 9개   ⑤ 12개

| 경시대회 기출 |

2 모양과 크기, 색깔은 같지만 무게가 서로 다른 구슬 10개가 있습니다. 양팔저울로 무게를 재어 가장 무거운 구슬을 찾으려고 할 때 양팔저울을 최소 몇 번 사용해야 하는지 구하시오.

3

문제풀이

서로 다른 개수의 구슬이 담긴 4개의 구슬 주머니 가, 나, 다, 라가 있습니다. 한 주머니에 들어있는 모든 구슬의 무게는 각각 11 g이고, 다른 세 주머니에 들어있는 모든 구슬의 무게는 각각 10 g입니다. 전자저울을 한 번만 사용하여 11 g의 구슬이 담긴 주머니를 찾아내는 방법을 설명하시오. (단, 4개의 구슬 주머니에는 구슬이 5개 이상씩 들어있습니다.)

가　　　나　　　다　　　라

4

문제풀이

모양과 크기, 색깔이 같은 그릇 3개가 있는데 2개는 수진이가 만들었고 1개는 목화가 만들었습니다. 목화가 만든 그릇과 수진이가 만든 그릇의 무게는 1 g 차이가 납니다. 그릇을 한 개 골라 전자저울을 한 번만 사용하면 고른 그릇이 수진이가 만든 것인지 목화가 만든 것인지 알 수 있다고 합니다. 어떻게 알 수 있는지 그 방법을 설명하시오. (단, 그릇의 무게는 모두 자연수입니다.)

14-1. 효율적으로 계획하기(1)

1 준석이는 11분과 7분을 잴 수 있는 모래시계로 15분을 재려고 합니다. 15분을 정확히 잴 수 있는 방법을 설명하시오.

11분 짜리   7분 짜리

땀이 뻘뻘

2 생선을 한 번에 2마리까지 올려놓을 수 있는 프라이팬이 있습니다. 생선의 한 면을 굽는 시간은 2분이고, 양면을 모두 구워야 한다고 할 때 생선 5마리를 모두 구우려면 최소 몇 분이 걸립니까?

빵을 한번에 2개까지 올려놓을 수 있는 프라이팬에서 빵 3개를 가장 빨리 굽는 방법은?

㉠ 빵을 한 번에 두 개까지 올려놓을 수 있는 프라이팬이 있고, 빵의 한 면을 굽는 데 1분이 걸립니다.

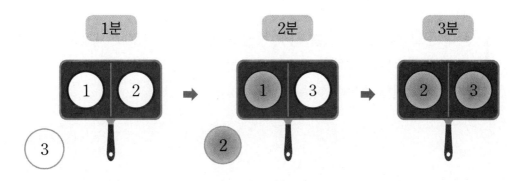

프라이팬의 빈 곳이 없도록 빵을 번갈아가며 올려놓습니다.

최상위 사고력

어떤 자전거 바퀴의 수명은 $10000\,\mathrm{km}$입니다. 이 바퀴를 끼운 자전거로 이동할 수 있는 최대 거리는 몇 km인지 구하시오.

(1) 자전거 바퀴가 3개인 경우

(2) 자전거 바퀴가 5개인 경우

14-2. 효율적으로 계획하기(2)

1 동네 문화센터에서는 오늘 하루 동안 모든 강좌를 무료로 체험할 수 있게 하였습니다. 아영이는 가장 많은 과목의 수업을 들으려고 할 때 다음 시간표를 보고 아영이가 들을 수 있는 최대 과목의 수는 몇 과목인지 구하시오.

강좌명	시작 시각	끝나는 시각
한식조리	6시	12시
영어 스킬업	11시	15시
키 성장 체조	8시	11시
언어발달	7시	10시
심리치료	11시	13시
초등발레	9시	12시
배드민턴	18시	20시
스토리텔링 명화	15시	19시
니하오 중국어	14시	17시

땀이 뻘뻘

2 어떤 요리사가 조리 순서에 맞게 잔치국수를 만들려고 합니다. 국수를 최대한 빨리 만들려고 할 때 몇 분만에 요리를 할 수 있습니까?

> • 그릇에 멸치육수, 소면, 야채 넣어 완성하기 (1분)
> • 야채 볶기(4분)
> • 소면 삶기(3분)
> • 야채 채썰기(4분)
> • 양념장 만들기(2분)
> • 소면 삶을 물 끓이기(3분)
> • 야채 씻기(3분)
> • 멸치육수 끓이기(10분)

일을 최소 시간으로 하는 방법은?

<예> 〈집안일〉
- 물에 쌀 불리기 (10분)
- 방 정리하기 (20분)
- 전기 밥솥으로 밥짓기 (30분)
- 쓰레기통 비우기 (5분)

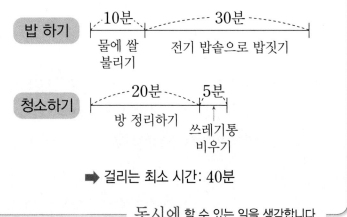

밥 하기 — 10분 물에 쌀 불리기 — 30분 전기 밥솥으로 밥짓기

청소하기 — 20분 방 정리하기 — 5분 쓰레기통 비우기

➡ 걸리는 최소 시간: 40분

동시에 할 수 있는 일을 생각합니다.

최상위 사고력

진아는 동생과 함께 집을 청소하는 데 진아가 먼저 빗자루로 쓸고 동생이 걸레질을 하기로 했습니다. 큰 방, 작은 방, 거실을 빗자루로 쓰는 데 걸리는 시간은 각각 6분, 4분, 9분이고, 걸레질을 하는 데 걸리는 시간은 각각 7분, 5분, 8분입니다. 청소를 최대한 빨리 끝내려고 할 때 걸리는 시간은 몇 분입니까? (단, 한 곳에서 쓸기와 걸레질하기를 동시에 할 수 없습니다.)

14-3. 최대 이동 거리

1 병사 두 명이 한 마을에 파견을 나왔는데 그중 한 명은 다시 부대로 복귀하라는 명령을 받았습니다. |조건|에 따라 이동할 수 있다고 할 때 병사가 마을에서 무사히 부대로 도착할 수 있는 방법을 설명하시오.

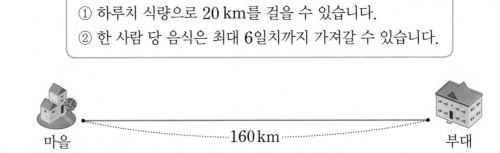

─|조건|─
① 하루치 식량으로 20 km를 걸을 수 있습니다.
② 한 사람 당 음식은 최대 6일치까지 가져갈 수 있습니다.

마을 ············160 km············ 부대

땀이 뻘뻘

2 한 여행가가 길이가 100 km인 사막을 지나가려고 합니다. 이 사막에서 한 사람이 하루에 걸을 수 있는 거리는 10 km이고, 하루에 한 병의 물만 마실 수 있습니다. 한 사람 당 물은 최대 7병까지만 가져갈 수 있다고 할 때 이 여행가 혼자서 이 사막을 통과하려면 최소 며칠이 걸립니까?

한 여행가가 3일치의 식량만 가져갈 수 있을 때 4일 걸리는 거리를 이동하는 방법은?

뇌가 번쩍

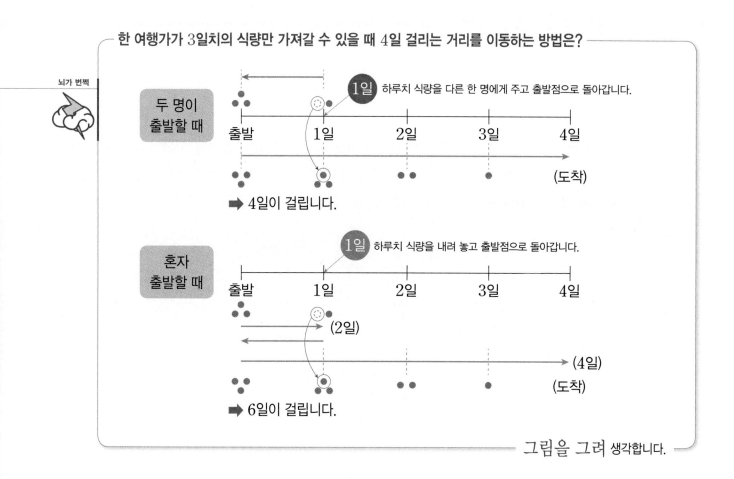

➡ 4일이 걸립니다.

➡ 6일이 걸립니다.

그림을 그려 생각합니다.

**최상위
사고력**

㉮ 마을에 사는 한 남자는 ㉯ 마을에 편지를 전달하는 일을 합니다. 두 마을 사이에는 사막이 하나 있는데 사막을 지나가는데 8일이 걸립니다. 한 사람 당 물은 최대 5병까지만 가져 갈 수 있다고 할 때 이 남자는 적어도 몇 명의 동료와 같이 출발해야 ㉯ 마을에 무사히 도착할 수 있습니까?

1 진우네 남매들이 한 명씩 차례로 화장실을 사용하려고 합니다. 화장실 사용 시간이 각각 다음과 같을 때 세 사람이 화장실을 사용하기 위해 기다리는 시간의 합이 가장 짧으려면 어떤 순서로 화장실을 사용해야 하고, 그때 세 사람이 기다리는 시간의 합은 몇 분인지 구하시오.

이름	사용 시간
진우	4분
진혁	3분
진주	6분

2 상호는 점심을 차려 먹으려고 합니다. 상호가 혼자서 점심을 차릴 수 있는 최소 시간은 몇 분인지 구하시오.

- 식탁 닦기(1분)
- 국 끓이기 (6분)
- 냉장고에서 반찬 꺼내기 (3분)
- 전자레인지에 반찬 데우기(4분)
- 밥솥에서 밥 퍼서 식탁에 놓기 (2분)
- 식탁에 반찬 놓기(2분)
- 식탁에 수저 놓기(1분)

3 선미와 현아는 학급 안내판 4개를 만드는 데 선미는 도화지에 글씨를 쓰고, 현아는 글씨를 쓴 도화지를 자르기로 했습니다. 안내판 가, 나, 다, 라의 글씨를 쓰는 데 걸리는 시간은 각각 6분, 3분, 8분, 5분이고 자르는 데 걸리는 시간은 각각 8분, 6분, 7분, 4분입니다. 안내판을 가장 빨리 완성하려고 할 때 어떤 순서대로 안내판을 만들어야 하는지 구하시오.

4 연료를 가득 넣으면 600 km까지 달릴 수 있는 자동차 가와 나가 있습니다. 가 자동차로 다음과 같은 1000 km 길이의 둥근 길을 한 바퀴 도는 것이 가능합니까, 불가능합니까? 가능하다면 그 방법을 설명하시오. (단, 자동차 가와 나는 서로 연료를 주고 받을 수 있고 두 대 모두 처음 위치로 돌아와야 합니다.)

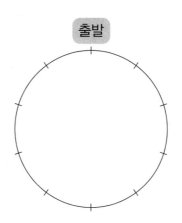

15-1. 카드 순서 바꾸기

1 9장의 숫자 카드 중에서 2장을 골라 |보기|와 같이 서로 자리를 바꾸었습니다. 왼쪽부터 차례로 1부터 9까지의 숫자가 놓이도록 만들려면 최소한 몇 번 바꿔야 합니까?

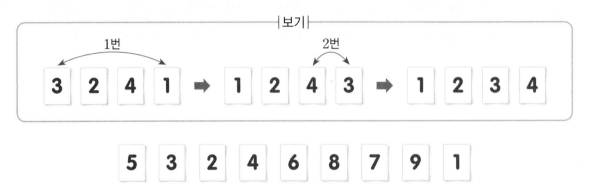

| 5 | 3 | 2 | 4 | 6 | 8 | 7 | 9 | 1 |

2 1부터 8까지의 숫자가 쓰여 있는 숫자 카드 8장이 다음과 같이 놓여 있습니다. 이웃한 두 장의 카드를 서로 바꾸는 방법으로 왼쪽부터 차례로 1부터 8까지의 숫자가 놓이도록 만들려면 최소한 몇 번 바꿔야 합니까?

| 3 | 2 | 8 | 4 | 1 | 6 | 7 | 5 |

이웃한 두 장의 카드를 서로 바꾸는 방법으로 1부터 4까지 차례대로 놓으려면?

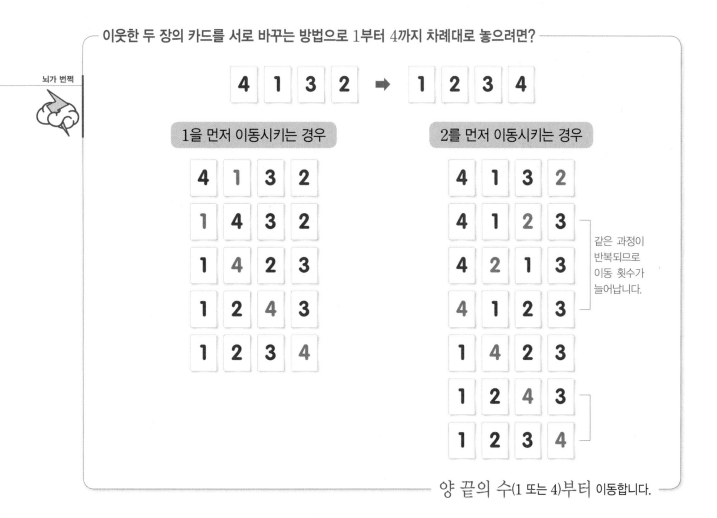

최상위
사고력

이웃한 두 장의 카드를 서로 바꾸는 방법으로 다음 |조건|에 맞게 숫자 카드가 놓이도록 만들려면 최소한 몇 번 바꿔야 합니까?

|조건|
① 오른쪽부터 둘째에 있는 숫자가 셋째에 있는 숫자보다 작아야 합니다.
② 왼쪽부터 첫째, 둘째, 셋째에 있는 숫자의 합이 15입니다.

15-2. 동전 뒤집기

1 동전 5개가 다음과 같이 놓여 있습니다. 동전을 한 번에 3개씩 뒤집어서 모든 동전의 숫자면이 위로 오도록 만들려면 최소 몇 번 뒤집어야 합니까?

2 동전 7개가 다음과 같이 놓여 있습니다. 이웃한 동전 3개를 한꺼번에 뒤집어서 모든 동전의 숫자면이 위로 오도록 만들려면 최소 몇 번 뒤집어야 합니까?

동전 뒤집기 횟수를 간단히 구하는 방법은?

뇌가 번쩍

<예> 동전을 한 번에 3개씩 뒤집을 때

뒤집기 전				
숫자면이 늘어나는 개수	$+3$	$+1$	-1	-3
뒤집은 후				

늘어나고 줄어드는 것을 수로 나타내어 생각합니다.

최상위
사고력

9개의 컵 중에 3개의 컵이 거꾸로 놓여 있습니다. 이웃한 컵 3개를 한꺼번에 뒤집어서 모든 컵을 거꾸로 놓이게 하려면 최소 몇 번 뒤집어야 합니까?

15-3. 카드 섞기

1 1부터 7까지 7장의 숫자 카드가 나란히 나열되어 있습니다. 오른쪽의 숫자 카드 3장을 왼쪽의 4장 사이사이로 끼워 넣는 것을 한 번 하면 다음과 같습니다. 이와 같은 방법으로 10번 했을 때 왼쪽에서 두 번째에 있는 카드에 적힌 숫자가 무엇인지 구하시오.

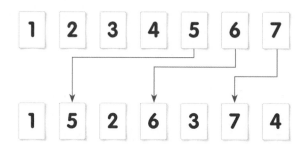

땀이 뻘뻘

2 흰색 카드 24장의 한가운데에 검은색 카드 한 장이 있습니다. 맨 아래의 카드 4장을 빼어 그대로 맨 위에 올립니다. 이와 같은 방법으로 카드를 적어도 몇 번 섞어야 맨 위에 검은색 카드가 보이는지 구하시오.

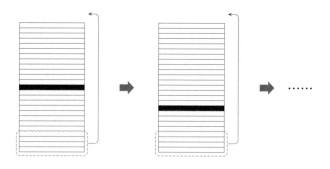

㉠ 5장의 카드 중에서 아래 3장의 카드를 빼어 맨 위에 올리는 것을 반복할 때 빨간색 카드가 맨 위로 가려면 최소 몇 번 바꾸어야 할까?

: 3번

직접 시행해 보며 規칙을 찾습니다.

최상위 사고력

다음 |조건|에 맞도록 20장의 카드를 10번 섞으면 처음에 위에서 3번째에 있던 카드는 위에서 몇 번째가 되는지 구하시오.

|조건|
① 카드 20장을 쌓은 후 아래의 카드 10장 사이사이에 위의 카드 10장이 서로 한 장씩 섞이도록 넣습니다.
② 다시 아래의 카드 10장 사이사이에 위의 카드 10장이 서로 한 장씩 섞이도록 넣습니다.

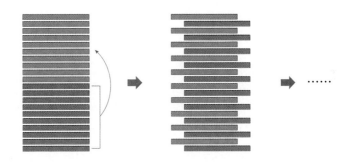

정답과 풀이 107쪽 ▶

1 1부터 9까지의 숫자가 쓰여 있는 숫자 카드 9장이 다음과 같이 놓여 있습니다. 이웃한 두 장의 카드를 서로 바꾸는 방법으로 왼쪽부터 차례로 1부터 9까지의 숫자가 놓이도록 만들려면 최소한 몇 번 바꾸어야 하는지 구하시오.

| 8 | 3 | 7 | 1 | 6 | 2 | 4 | 9 | 5 |

| 경시대회 기출 |

2 100원짜리 동전 50개가 모두 그림면이 보이도록 놓여 있습니다. 동전을 한 번에 6개씩 뒤집어서 모든 동전의 숫자면이 위로 오도록 만들려면 최소 몇 번 뒤집어야 하는지 구하시오.

3
1부터 50까지 적힌 카드 50장을 위에서부터 순서대로 놓이게 쌓았습니다. 다음 |조건|에 맞도록 카드를 20번 섞으면 25가 적힌 카드는 위에서부터 몇 번째가 되는지 구하시오.

|조건|

① 가장 위에 있는 카드 1장을 뽑아 가장 아래에 넣습니다.

② 가장 아래에 있는 카드 2장을 뽑아 순서 그대로 가장 위에 올려 놓습니다.

③ 가장 위에 있는 카드 3장을 뽑아 순서 그대로 가장 아래에 넣습니다.

④ 가장 아래에 있는 카드 4장을 뽑아 순서 그대로 가장 위에 올려 놓습니다.

⋮

⑳ 가장 위에 있는 카드 20장을 뽑아 순서 그대로 가장 위에 올려 놓습니다.

4 8장의 숫자 카드를 |보기|와 같이 자리를 바꿉니다. 왼쪽부터 차례로 1부터 8까지 놓이도록 만들려면 자리를 최소한 몇 번 바꿔야 하는지 구하시오.

| 7 | 8 | 1 | 2 | 3 | 4 | 5 | 6 |

1 구슬 20개 중에서 1개의 구슬이 다른 구슬보다 가볍습니다. 양팔저울을 사용하여 가벼운 구슬을 찾아내려고 할 때 양팔저울을 최소 몇 번 사용해야 하는지 구하시오.

2 어떤 회사의 타이어의 수명은 40000 km입니다. 이 타이어를 4개 끼운 자동차와 트렁크에 있는 여분의 타이어 1개를 이용하여 달릴 수 있는 최대 거리는 몇 km인지 구하시오.

3   미주와 찬우는 선물 가, 나, 다 3개를 포장 하려고 합니다. 미주는 가, 나, 다 선물의 포장지를 크기에 맞게 자르는데 각각 5분, 2분, 7분이 걸리고, 찬우는 크기에 맞게 자른 포장지로 선물을 포장하는데 각각 3분, 6분, 4분이 걸린다고 합니다. 선물 포장을 최대한 빨리 끝내려고 할 때 걸리는 시간은 몇 분인지 구하시오.

4   동전 7개가 다음과 같이 놓여 있습니다. 동전을 한 번에 3개씩 뒤집어서 모든 동전의 숫자면이 위로 오도록 만들려면 최소 몇 번 뒤집어야 하는지 구하시오.

5 카드 30장의 한가운데에 한글이 적힌 카드가 한 장 있습니다. 맨 아래에 놓인 카드 5장을 빼어 그대로 맨 위에 올립니다. 이와 같은 방법으로 카드를 섞으면 몇 번 섞어야 한글이 적힌 카드가 위에서 2번째에 놓이는지 구하시오.

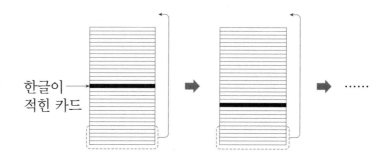

한글이 적힌 카드

6 6개의 왕관 ①~⑥ 중에서 1개는 가짜 왕관이고, 나머지 다섯 개의 왕관 중에 ①은 진짜 왕관입니다. 가짜 왕관은 진짜 왕관보다 무거운지 가벼운지 모른다고 할 때 양팔저울을 2번만 사용하여 가짜 왕관을 찾아내려고 합니다. 다음 표의 빈칸을 알맞게 채우시오.

문제풀이

1번	2번	가짜 왕관
①②＝③④	①＝⑤	
	①＞⑤	
	①＜⑤	
①②＞③④	①⑤＝②③	
	①⑤＞②③	
	①⑤＜②③	
①②＜③④	①⑤＝②③	
	①⑤＞②③	
	①⑤＜②③	

정답과 풀이 111쪽 ▶

 **MEMO**

최상위
연산은
수학이다.

1~6학년(학기용)

단순 계산이 아닌 수학 원리를 알아가는 수학 공부의 첫 걸음, 같아 보이지만 완전히 다른 연산!

초등수학은 디딤돌!

아이의 학습 능력과 학습 목표에 따라
맞춤 선택을 할 수 있도록
다양한 교재를 제공합니다.

문제해결력 강화 문제유형, 응용

개념 다지기 원리, 기본

연산력 강화
최상위 연산

개념+문제해결력 강화를 동시에
기본+유형, 기본+응용

정답과 풀이

초등 6B

초등 6B

상위권의 기준

최상위 사고력

수학 좀 한다면

디딤돌

최상위 사고력 SPEED 정답 체크

I 연산

최상위 사고력 1. 분수의 혼합 계산 | 10~17쪽

1-1. 간단히 계산하기(1)

1 (1) $50\dfrac{1}{2}$　(2) 10　(3) $\dfrac{1}{121}$　(4) 39　(5) $\dfrac{50}{99}$

최상위 사고력 $\dfrac{3}{11}$

1-2. 간단히 계산하기(2)

1 (1) $\dfrac{12}{25}$　(2) $\dfrac{11}{16}$　(3) 8　(4) $10\dfrac{5}{9}$　(5) $\dfrac{1}{3}$

최상위 사고력 2

1-3. 간단히 계산하기(3)

1 0　　　　**2** $\dfrac{1}{5}$

최상위 사고력 **1** 0　**2** $\dfrac{1}{5}$ —
최상위 사고력 **1** 0　**2** $\dfrac{1}{5}$

최상위 사고력 $10\dfrac{1023}{1024}$

최상위 사고력

1 1000000000000　　**2** $\dfrac{3}{4}$

3 $\dfrac{52}{123}$　　　　**4** 8192

최상위 사고력 2. 분수와 소수의 혼합 계산 | 18~25쪽

2-1. 약속과 규칙

1 $1\dfrac{1}{2}$　　　　**2** (1) $1,\ 4\dfrac{1}{4}$　(2) $2\dfrac{17}{32}$

최상위 사고력 A 225　　최상위 사고력 B $1\dfrac{3}{13}$

2-2. 소수의 계산

1 (1) 11.1　(2) 190　(3) 2215.334
　 (4) 397.8　(5) 242

최상위 사고력 1215

2-3. 부분분수

1 (1) $\dfrac{5}{6}$　(2) $\dfrac{10}{11}$　(3) $64\dfrac{7}{18}$　(4) $\dfrac{3}{5}$

최상위 사고력 77

최상위 사고력

1 (1) 0.88888889　(2) 2777.3

2 $\dfrac{7}{10}$　　　　**3** 10

4 2500

최상위 사고력 3. 분수 계산의 응용 | 26~33쪽

3-1. 분수 포포즈

1 (예)

1	$\dfrac{4}{4+4-4}$	6	$4+\dfrac{4+4}{4}$
2	$\dfrac{4\times4}{4+4}$	7	$4+4-\dfrac{4}{4}$
3	$\dfrac{4+4+4}{4}$	8	$4\times\dfrac{4+4}{4}$
4	$\dfrac{4-4}{4}+4$	9	$4+4+\dfrac{4}{4}$
5	$\dfrac{4\times4+4}{4}$	10	$\dfrac{44-4}{4}$

최상위 사고력 A (예)

1	$(4+4)\div4-\dfrac{4}{4}$
2	$(4+4)\div4\times\dfrac{4}{4}$
3	$4+4-4-\dfrac{4}{4}$
4	$(4-4)\times\dfrac{4}{4}+4$

$$\frac{444}{444}=1,\ \frac{4}{4}\times\frac{44}{44}=1,\ \frac{4}{4}-\frac{4}{4}+\frac{4}{4}=1,$$

$$\frac{4}{4}\times\frac{4}{4}\div\frac{4}{4}=1,\ \frac{4}{4}\times\frac{4}{4}\times\frac{4}{4}=1,$$

$$\frac{4+4-4+4-4}{4}=1$$

최상위 사고력 B 예

3-2. 분수 문장제

1 54cm   **2** 840명

최상위 사고력 70명

3-3. 역사 속 분수 문제

1 315마리   **2** 28명

최상위 사고력 A 84살   **최상위 사고력 B** 8일

최상위 사고력

1 예

2	$\dfrac{1\times2+4}{3}$	6	$\dfrac{4\times3}{1\times2}$
3	$\dfrac{4+3-1}{2}$	7	$\dfrac{4+3}{2-1}$
4	$\dfrac{4+3+1}{2}$	12	$\dfrac{3\times4}{2-1}$

2 예 $\dfrac{8888}{8888}=1,\ \dfrac{88}{88}\times\dfrac{88}{88}=1,\ \dfrac{88}{88}\div\dfrac{88}{88}=1,$

$$\frac{8}{8}\times\frac{8}{8}\times\frac{8}{8}\times\frac{8}{8}=1,\ \frac{8}{8}\div\frac{8}{8}\div\frac{8}{8}\div\frac{8}{8}=1,$$

$$\frac{888}{888}\times\frac{8}{8}=1$$

3 1   **4** 420쪽

Review I 연산   34~36쪽

1 (1) 4909.95   (2) 212.1   (3) 1.48

     (4) 88887111.12   (5) 2001.004

2 예

10	$\dfrac{99}{99}+9$	17	$\dfrac{9\times9-9}{9}+9$
11	$\dfrac{99}{9}+9-9$	19	$\dfrac{99-9}{9}+9$
12	$\dfrac{99}{9}+\dfrac{9}{9}$	20	$\dfrac{9+9}{9}+9+9$

---

3 160개   **4** (1) $1\dfrac{9}{10}$ (2) 15

5 729

II 도형(1)

최상위 사고력 4 쌓은 모양을 위, 앞, 옆에서 본 모양   38~45쪽

4-1. 쌓기나무를 여러 방향에서 본 모양

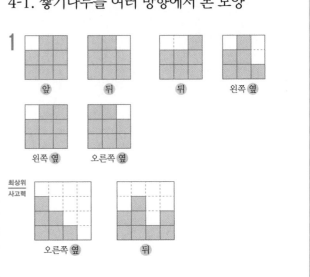

최상위 사고력

4-2. 투명 정육면체

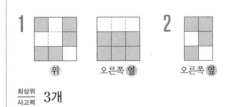

최상위 사고력 3개

4-3. 여러 가지 블록으로 만든 모양의 위, 앞, 옆

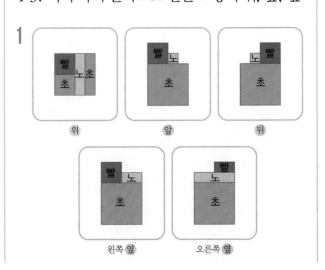

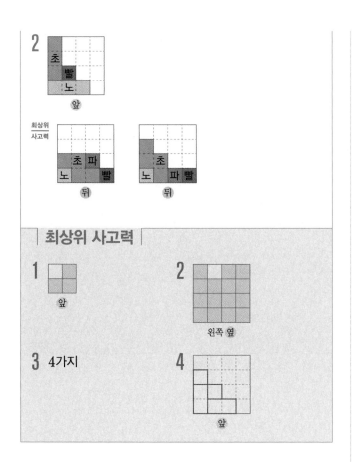

2

앞

최상위
사고력

뒤 / 뒤

최상위 사고력

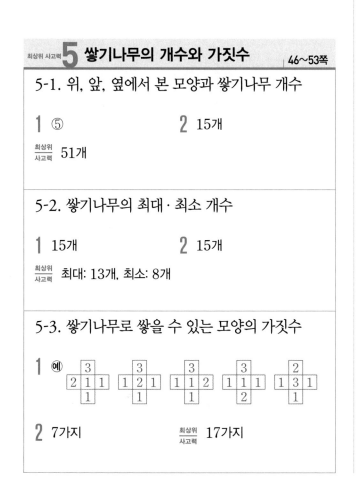

1 앞

2 왼쪽 옆

3 4가지

4 앞

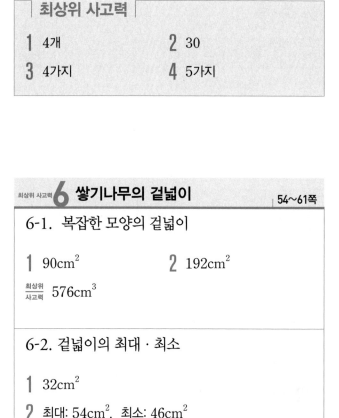

6 쌓기나무의 겉넓이 |54~61쪽|

6-1. 복잡한 모양의 겉넓이

1 $90 cm^2$ **2** $192 cm^2$

최상위
사고력 $576 cm^3$

6-2. 겉넓이의 최대·최소

1 $32 cm^2$

2 최대: $54 cm^2$, 최소: $46 cm^2$

최상위
사고력 최대: $62 cm^2$, 최소: $42 cm^2$

6-3. 변하지 않는 겉넓이

1 (1) $4 cm^2$ 줄어듭니다. (2) 변하지 않습니다.

(3) $2 cm^2$ 늘어납니다. (4) $2 cm^2$ 줄어듭니다.

2 5개 최상위
사고력 12개

최상위 사고력

1 부피: $440 cm^3$, 겉넓이: $440 cm^2$

2 4개 **3** 5가지

4 최대: 128개, 최소: 56개

5 쌓기나무의 개수와 가짓수 |46~53쪽|

최상위 사고력

5-1. 위, 앞, 옆에서 본 모양과 쌓기나무 개수

1 ⑤ **2** 15개

최상위
사고력 51개

5-2. 쌓기나무의 최대·최소 개수

1 15개 **2** 15개

최상위
사고력 최대: 13개, 최소: 8개

5-3. 쌓기나무로 쌓을 수 있는 모양의 가짓수

1 예

	3				3				3				3				2		
2	1	1		1	2	1		1	1	2		1	1	1		1	3	1
	1					1				1					2				1		

2 7가지 최상위
사고력 17가지

Review II 도형(1) |62~64쪽|

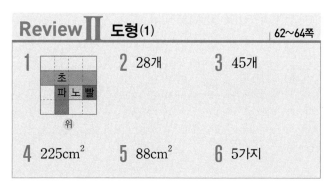

1 위

2 28개 **3** 45개

4 $225 cm^2$ **5** $88 cm^2$ **6** 5가지

Ⅲ 측정

 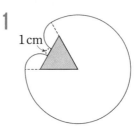

1 6.28 km

2 4.4 cm²

3 16 cm²

4 126 cm

5 10.28 cm

6 37.2 cm

Ⅳ 도형(2)

최상위 사고력 **10** 회전체와 단면 | 94~101쪽

10-1. 회전체

1 (1) (2)

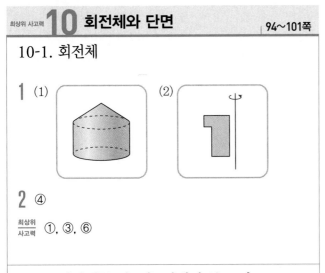

2 ④

최상위
사고력 ①, ③, ⑥

10-2. 회전체를 위, 앞, 옆에서 본 모양

1

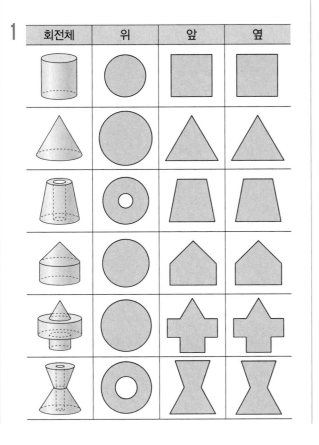

회전체	위	앞	옆

최상위
사고력
(1) 예

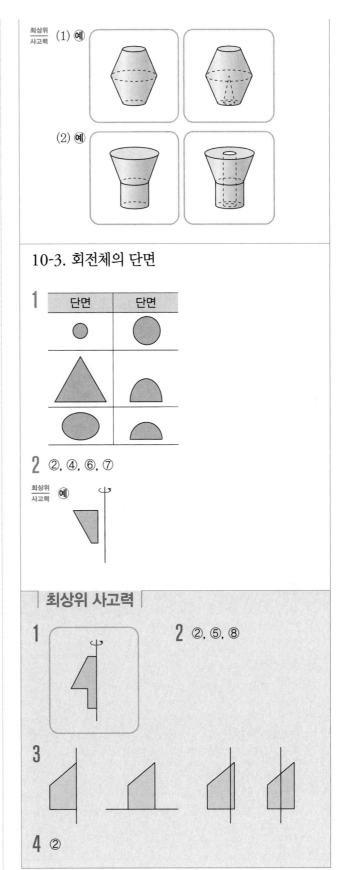

(2) 예

10-3. 회전체의 단면

1

단면	단면

2 ②, ④, ⑥, ⑦

최상위
사고력 예

최상위 사고력

1

2 ②, ⑤, ⑧

3

4 ②

^{최상위 사고력}11 최단거리와 겉넓이

^{102~109쪽}

11-1. 입체도형에서의 최단거리

1

ⓒ ㄱ ⓔ ⓑ

2 가

^{최상위}/_{사고력} 18 cm

11-2. 원뿔의 겉넓이

1 120° 2 125.6 cm²

^{최상위}/_{사고력} 270 cm²

11-3. 구멍이 뚫린 원기둥의 겉넓이

1 240 cm² 2 1570 cm²

^{최상위}/_{사고력} 270 cm²

최상위 사고력

1 ④ 2 47.68 cm

3 900 cm² 4 11개

^{최상위 사고력}12 입체도형의 부피

^{110~117쪽}

12-1. 원기둥과 원뿔의 부피

1 (1) 192 cm³ (2) 252 cm³

^{최상위}/_{사고력} A 4.71 cm   ^{최상위}/_{사고력} B 216 cm³

12-2. 회전체의 부피

1 나 2 446.4 cm³

^{최상위}/_{사고력} (1) 100.48 cm³ (2) 339.12 cm³

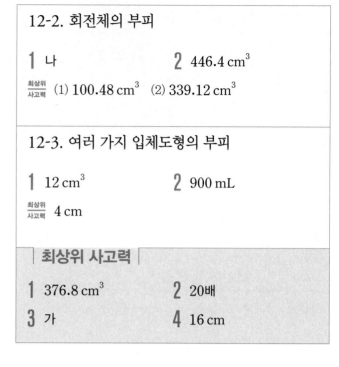

12-3. 여러 가지 입체도형의 부피

1 12 cm³ 2 900 mL

^{최상위}/_{사고력} 4 cm

최상위 사고력

1 376.8 cm³ 2 20배

3 가 4 16 cm

Review Ⅳ 도형(2)

^{118~120쪽}

1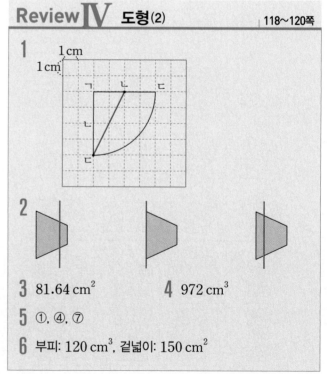

2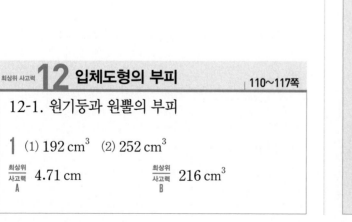

3 81.64 cm² 4 972 cm³

5 ①, ④, ⑦

6 부피: 120 cm³, 겉넓이: 150 cm²

V 규칙성과 문제해결력

13 양팔저울과 가짜 금화
| 122~129쪽

13-1. 무게가 가벼운 금화 찾기

1 예 금화 ①, ②의 무게를 비교해 ①>②인 경우 ②가 가짜 금화, ①=②인 경우 ③이 가짜 금화, ①<②인 경우 ①이 가짜 금화입니다.

2 3번

최상위 사고력 5번

13-2. 무게를 알 수 없는 금화 찾기

1

1번	2번	가짜 금화
①=②	①=③	④
	①>③	③
	①<③	③
①>②	①=③	②
	①>③	①
①<②	①=③	②
	①<③	①

최상위 사고력 A

1번	2번	3번	가짜 금화	가짜 금화의 무게
①②③=④⑤⑥	⑦=⑧	①>⑨	⑨	가볍습니다.
		①<⑨	⑨	무겁습니다.
	⑦>⑧	⑦=①	⑧	가볍습니다.
		⑦>①	⑦	무겁습니다.
	⑦<⑧	⑦=①	⑧	무겁습니다.
		⑦<①	⑦	가볍습니다.
①②③>④⑤⑥	①④=②⑤	⑦=③	⑥	가볍습니다.
		⑦<③	③	무겁습니다.
	①④>②⑤	⑦=①	⑤	가볍습니다.
		⑦<①	①	무겁습니다.
	①④<②⑤	⑦=②	④	가볍습니다.
		⑦<②	②	무겁습니다.
①②③<④⑤⑥	①②③>④⑤⑥인 경우와 같은 방법으로 찾을 수 있습니다.			

최상위 사고력 B 2번

13-3. 구슬의 무게 순서 정하기

1 5번   **2** 8번

최상위 사고력 (1) 11번 (2) 14번

1 ②, ③, ④   **2** 9번

3 예 4개의 구슬 주머니 가, 나, 다, 라에서 각각 구슬을 1개, 2개, 3개, 4개씩 꺼내어 무게를 재었을 때, 무게의 합이 101 g이면 '가' 주머니가, 무게의 합이 102 g이면 '나' 주머니가, 무게의 합이 103 g이면 '다' 주머니가, 무게의 합이 104 g이면 '라' 주머니가 11g의 구슬이 들어 있는 구슬 주머니입니다.

4 예 고르지 않은 그릇 두 개를 저울에 달았을 때, 무게가 홀수이면 고른 그릇은 수진이가 만든 것이고, 짝수이면 고른 그릇은 목화가 만든 것입니다.

14 최적 설계
| 130~137쪽

14-1. 효율적으로 계획하기(1)

1 예 11분을 잴 수 있는 모래시계와 7분을 잴 수 있는 모래시계를 동시에 뒤집은 뒤 7분을 잴 수 있는 모래시계가 모두 떨어지면 그때부터 11분 짜리로 시간을 잽니다.

2 10분

최상위 사고력 (1) 15000 km (2) 25000 km

14-2. 효율적으로 계획하기(2)

1 4과목   **2** 14분

최상위 사고력 27분

14-3. 최대 이동 거리

1 예 병사 2명이 같이 떠난 후 2일 후 40 km 지점에서 병사 1은 병사 2에게 식량 2일치를 주고 다시 마을로 돌아옵니다. 병사 2는 2일 후 다시 식량 6일치를 가지게 되므로 남은 거리인 120 km를 무사히 걸어가 부대로 복귀할 수 있습니다.

2 20일   최상위 사고력 3명

│ 최상위 사고력 │

1 진혁 → 진우 → 진주, 10분

2 9분   **3** 나, 가, 다, 라

4 예 ① 나 자동차는 600 km의 연료를 싣고 시계 방향으로 출발했다가 200 km 지점에서 가 자동차에 200 km의 연료를 주고 출발점으로 돌아갑니다.
　② 가 자동차는 200 km 지점에서 200 km의 연료를 받고 800 km 지점까지 이동합니다.
　③ 나 자동차는 600 km의 연료를 싣고 시계 반대 방향으로 출발했다가 800 km 지점에서 가 자동차에 200 km의 연료를 주고 출발점으로 돌아갑니다. 가 자동차는 800 km 지점에서 200 km의 연료를 받고 1000 km 지점으로 이동합니다.

15-1. 카드 순서 바꾸기

1 5번   **2** 11번

최상위 사고력 5번

15-2. 동전 뒤집기

1 3번   **2** 4번

최상위 사고력 4번

15-3. 카드 섞기

1 5   **2** 22번

최상위 사고력 16번째

│ 최상위 사고력 │

1 18번   **2** 9번

3 35번째   **4** 4번

Review V 규칙성과 문제해결력 146~148쪽

1 3번   **2** 50000 km

3 17분   **4** 3번

5 22번

6

1번	2번	가짜 왕관
①②=③④	①=⑤	⑥
	①>⑤	⑤
	①<⑤	⑤
①②>③④	①⑤=②③	④
	①⑤>②③	③
	①⑤<②③	②
①②<③④	①⑤=②③	④
	①⑤>②③	②
	①⑤<②③	③

최상위 사고력

Final 평가

1회

1~4쪽

01 ⑤

02 $\frac{11}{24}$

03 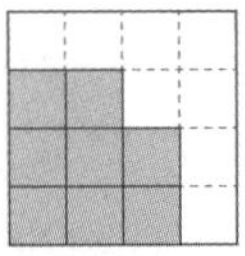

04 4번

05 $12560\,cm^3$

06 $942\,cm^2$

07 1

08 $50\,cm^2$

09 $314\,cm^2$

10 4개

2회

5~8쪽

01 $2370\,cm^2$

02 25분

03 102.8 cm

04 $2018\frac{2018}{2019}$

05 $3600\,cm^2$

06 7

07 11, 6

08 $1344\,cm^2$

09 8번

10 124 cm

I 연산

이 단원에서는 교과서에서 다루는 (분수)÷(분수), (소수)÷(소수)를 포함하여 지금까지 배운 자연수의 계산 방법을 기초로 분수와 소수의 사칙연산을 해 봅니다. 초등학교 수학에서의 연산은 대부분 덧셈, 뺄셈, 곱셈, 나눗셈의 계산 절차에 따라 알고리즘을 익힙니다. 하지만 이 단원에서 다룰 문제들은 이 알고리즘만 단순히 적용하여서는 답을 구하기 어렵습니다. 예를 들어 분수의 덧셈과 뺄셈을 하기 위해 통분을 배웠습니다. 하지만 통분하는 방법만으로 해결할 수 없는 문제는 어떻게 풀어야 할까요?

이 단원에서 수 사이의 관계를 파악하고 계산 결과를 어림하는 등 다양한 문제를 통해 수·연산 감각을 길러봅니다.

1 분수의 혼합 계산에서는 복잡한 분수의 계산을 약분을 이용하기, 괄호를 이용하기, 새로운 문자로 나타내기의 3가지 주제로 나누어 효율적으로 구하는 방법을 알아봅니다.

2 분수와 소수의 혼합 계산에서는 복잡한 소수식을 간단한 식으로 변형하는 방법을 알아보고, 분모와 분자의 관계를 이용하여 분수를 계산하는 부분분수를 학습합니다.

3 분수 계산의 응용에서는 분수를 대상으로 사칙연산을 이용하여 목표수를 만드는 분수 포포즈와 분수 문장제 문제를 배우게 됩니다.

이번 주제가 그동안 기계적으로 연산 학습을 해온 학생들에게는 생소하고 어려워 보일 수 있습니다. 기계적인 연산이 아닌 생각하는 연산을 경험하는 기회가 되었으면 좋겠습니다.

최상위 사고력 **1 분수의 혼합 계산**

1-1. 간단히 계산하기(1)   10~11쪽

1 (1) $50\frac{1}{2}$ (2) 10 (3) $\frac{1}{121}$ (4) 39 (5) $\frac{50}{99}$

최상위 사고력 $\frac{3}{11}$

저자 톡! 여러 개의 분수로 이루어진 곱셈과 나눗셈을 간단히 계산하는 방법을 학습합니다. 분수는 분모와 분자로 이루어져 있기 때문에 계산 과정 중에 약분이 된다면 자연수의 계산보다 오히려 쉽게 문제를 해결할 수 있습니다. 약분을 이용하기 위해서 주어진 식을 어떻게 바꾸어야 할 지 생각해 보면서 간단히 계산하는 방법인 약분의 매력을 느껴보기 바랍니다.

1 (1) $1\frac{1}{2} \times 1\frac{1}{3} \times 1\frac{1}{4} \times 1\frac{1}{5} \times \cdots\cdots \times 1\frac{1}{100}$

$$= \frac{\overset{1}{\cancel{3}}}{2} \times \frac{\overset{1}{\cancel{4}}}{\underset{1}{\cancel{3}}} \times \frac{\overset{1}{\cancel{5}}}{\underset{1}{\cancel{4}}} \times \frac{\overset{1}{\cancel{6}}}{\underset{1}{\cancel{5}}} \times \cdots\cdots \times \frac{\overset{1}{\cancel{99}}}{\underset{1}{\cancel{98}}} \times \frac{\overset{1}{\cancel{100}}}{\underset{1}{\cancel{99}}} \times \frac{101}{\underset{1}{\cancel{100}}}$$

$$= \frac{101}{2} = 50\frac{1}{2}$$

> **해결 전략**
> 대분수를 가분수로 바꾼 후 약분이 되는지 먼저 살펴봅니다.

(2) 나눗셈도 곱셈과 같은 방법으로 약분을 먼저 하면 계산을 간단히 할 수 있습니다. 약분을 이용할 수 있는 나눗셈을 곱셈으로 굳이 바꾸려 하지 말고 <u>나누는 수끼리 약분하여</u> 식을 간단히 한 후 계산합니다.

$$1 \div \frac{1}{\underset{1}{\cancel{2}}} \cdot \frac{\overset{1}{\cancel{2}}}{\underset{1}{\cancel{3}}} \cdot \frac{\overset{1}{\cancel{3}}}{\underset{1}{\cancel{4}}} \cdot \frac{\overset{1}{\cancel{4}}}{\underset{1}{\cancel{5}}} \cdot \frac{\overset{1}{\cancel{5}}}{\underset{1}{\cancel{6}}} \cdot \frac{\overset{1}{\cancel{6}}}{\underset{1}{\cancel{7}}} \cdot \frac{\overset{1}{\cancel{7}}}{\underset{1}{\cancel{8}}} \cdot \frac{\overset{1}{\cancel{8}}}{\underset{1}{\cancel{9}}} \cdot \frac{\overset{1}{\cancel{9}}}{10}$$

$$= 1 \div \frac{1}{10} = 1 \times 10 = 10$$

> **주의**
> 나누어지는 맨 처음 수는 약분하지 않도록 주의합니다.

> **보충 개념**
> $\dfrac{\bigstar}{\blacksquare} \div \dfrac{\blacksquare}{\bullet} = \bigstar \div \dfrac{1}{\bullet} = \bigstar \times \bullet$

(3) 분자의 계산에서 7이 되는 두 수씩 짝을 지어 계산하면 분자는 7×7이 됩니다.

$$\frac{1+2+3+4+5+6+⑦+6+5+4+3+2+1}{77 \times 77}$$

$$=\frac{\overset{1}{\cancel{7}} \times \overset{1}{\cancel{7}}}{\underset{11}{\cancel{77}} \times \underset{11}{\cancel{77}}}=\frac{1 \times 1}{11 \times 11}=\frac{1}{121}$$

(4) 괄호 안을 먼저 계산하여 가분수의 곱셈으로 나타낸 후 약분이 되는지 살펴봅니다. 가분수의 곱으로 나열된 분수의 규칙은 분수의 분모는 7부터 1씩 커지고 각각의 분수의 분자는 분모보다 3 큽니다.

$$\left(1+\frac{3}{7}\right) \times \left(1+\frac{3}{8}\right) \times \left(1+\frac{3}{9}\right) \times \left(1+\frac{3}{10}\right) \times \cdots \times \left(1+\frac{3}{24}\right) \times \left(1+\frac{3}{25}\right)$$

$$=\frac{\overset{1}{10}}{7} \times \frac{\overset{1}{11}}{8} \times \frac{\overset{1}{12}}{9} \times \frac{13}{\underset{1}{10}} \times \frac{14}{\underset{1}{11}} \times \frac{15}{\underset{1}{12}} \times \cdots \times \frac{24}{\underset{1}{21}} \times \frac{25}{\underset{1}{22}} \times \frac{26}{\underset{1}{23}} \times \frac{27}{\underset{1}{24}} \times \frac{28}{\underset{1}{25}}$$

$$=\frac{1}{\underset{1}{7}} \times \frac{1}{\underset{\underset{1}{2}}{8}} \times \frac{1}{\underset{1}{9}} \times \overset{13}{26} \times \overset{3}{27} \times \overset{4}{28}$$

$$=39$$

(5) 괄호 안의 식이 덧셈식인 것과 뺄셈식인 것으로 구분한 후 각각 계산하여 간단히 합니다.

$$\left(1+\frac{1}{2}\right) \times \left(1-\frac{1}{2}\right) \times \left(1+\frac{1}{3}\right) \times \left(1-\frac{1}{3}\right) \times \cdots \times \left(1+\frac{1}{99}\right) \times \left(1-\frac{1}{99}\right)$$

$$=\left(1+\frac{1}{2}\right) \times \left(1+\frac{1}{3}\right) \times \left(1+\frac{1}{4}\right) \times \cdots \times \left(1+\frac{1}{98}\right) \times \left(1+\frac{1}{99}\right)$$

$$\times \left(1-\frac{1}{2}\right) \times \left(1-\frac{1}{3}\right) \times \left(1-\frac{1}{4}\right) \times \cdots \times \left(1-\frac{1}{98}\right) \times \left(1-\frac{1}{99}\right)$$

$$=\left(\frac{3}{2} \times \frac{\overset{1}{4}}{3} \times \frac{\overset{1}{5}}{4} \times \cdots \times \frac{99}{\underset{1}{98}} \times \frac{100}{\underset{1}{99}}\right) \times \left(\frac{1}{2} \times \frac{\overset{1}{2}}{3} \times \frac{\overset{1}{3}}{4} \times \cdots \times \frac{97}{\underset{1}{98}} \times \frac{98}{\underset{1}{99}}\right)$$

$$=\left(\frac{1}{\underset{1}{2}} \times \overset{50}{100}\right) \times \frac{1}{99}=\frac{50}{99}$$

보충 개념

● × ■ × ▲ × ★ = ● × ▲ × ■ × ★ = (● × ▲) × (■ × ★)

여러 수의 곱셈은 수의 위치, 순서를 바꾸어 계산해도 계산 결과는 같습니다.

최상위 사고력

$$\left(1-\frac{4}{2 \times 5}\right) \times \left(1-\frac{4}{3 \times 6}\right) \times \left(1-\frac{4}{4 \times 7}\right) \times \left(1-\frac{4}{5 \times 8}\right)$$

$$\times \cdots \times \left(1-\frac{4}{11 \times 14}\right)$$

해결 전략

괄호 안의 식부터 계산하여 곱셈식으로 나타냅니다.

$$=\frac{6}{2 \times 5} \times \frac{14}{3 \times 6} \times \frac{24}{4 \times 7} \times \frac{36}{5 \times 8} \times \cdots \times \frac{150}{11 \times 14}$$

$$=\frac{1 \times \overset{1}{6}}{2 \times 5} \times \frac{\overset{1}{2} \times \overset{1}{7}}{3 \times 6} \times \frac{\overset{1}{3} \times \overset{1}{8}}{4 \times 7} \times \frac{\overset{1}{4} \times \overset{1}{9}}{5 \times 8} \times \frac{\overset{1}{5} \times \overset{1}{10}}{6 \times 9} \times \cdots \times \frac{\overset{1}{8} \times \overset{1}{13}}{9 \times 12} \times \frac{\overset{1}{9} \times \overset{1}{14}}{10 \times 13} \times \frac{\overset{1}{10} \times 15}{11 \times 14}$$

분자는 1부터 차례로 차가 5인 두 수의 곱으로 나타나고, 분모는 2부터 차례로 차가 3인 두 수의 곱으로 나타납니다.

$$=\frac{1}{\underset{1}{5}} \times \frac{\overset{3}{15}}{11}=\frac{3}{11}$$

1　(1) $\dfrac{12}{25}$　(2) $\dfrac{11}{16}$　(3) 8　(4) $10\dfrac{5}{9}$　(5) $\dfrac{1}{3}$　　　　최상위 사고력 2

저자 톡! 앞에서는 분수의 곱셈식에 대해서 다루었다면 이번에는 곱셈식뿐만 아니라 덧셈식, 뺄셈식을 포함한 분수의 혼합 계산을 학습합니다. 자연수의 혼합 계산에서와 같이 계산이 간단한 수끼리 먼저 계산하거나 괄호를 이용하여 수를 결합하고 분해하는 등 수 연산 감각이 필요합니다. 어떻게 하면 더 간단히 계산할 수 있을지 다양하게 생각하고 시도해 보도록 합니다.

1　(1) 괄호를 먼저 풀어 계산이 간단한 것부터 계산합니다.

> **주의**
> 괄호 안을 먼저 계산하면 식이 복잡해집니다.

$$\left(\dfrac{1}{2}-\dfrac{1}{4}\right)+\left(\dfrac{1}{4}-\dfrac{1}{6}\right)+\left(\dfrac{1}{6}-\dfrac{1}{8}\right)+\cdots\cdots+\left(\dfrac{1}{48}-\dfrac{1}{50}\right)$$
$$=\dfrac{1}{2}-\dfrac{1}{4}+\dfrac{1}{4}-\dfrac{1}{6}+\dfrac{1}{6}-\dfrac{1}{8}+\cdots\cdots+\dfrac{1}{46}-\dfrac{1}{48}+\dfrac{1}{48}-\dfrac{1}{50}$$
$$=\dfrac{1}{2}-\dfrac{1}{50}=\dfrac{24}{50}=\dfrac{12}{25}$$

> **보충 개념**
> ●+(▲+■)=●+▲+■
> ●+(▲−■)=●+▲−■

(2) 괄호를 먼저 풀어 계산이 간단한 것부터 계산합니다.

$$1-\left(\dfrac{1}{3}-\dfrac{1}{6}\right)-\left(\dfrac{1}{6}-\dfrac{1}{12}\right)-\left(\dfrac{1}{12}-\dfrac{1}{24}\right)-\left(\dfrac{1}{24}-\dfrac{1}{48}\right)$$
$$=1-\dfrac{1}{3}+\dfrac{1}{6}-\dfrac{1}{6}+\dfrac{1}{12}-\dfrac{1}{12}+\dfrac{1}{24}-\dfrac{1}{24}+\dfrac{1}{48}$$
$$=1-\dfrac{1}{3}+\dfrac{1}{48}=\dfrac{33}{48}=\dfrac{11}{16}$$

> **보충 개념**
> ●−(▲+■)=●−▲−■
> ●−(▲−■)=●−▲+■

(3) 분모가 같은 것끼리 괄호를 묶어 먼저 계산합니다.

$$\left(\dfrac{4}{7}\times1\dfrac{1}{9}\times\dfrac{4}{11}\right)\div\left(\dfrac{2}{11}\times\dfrac{2}{7}\times\dfrac{5}{9}\right)$$
$$=\dfrac{4}{7}\times\dfrac{10}{9}\times\dfrac{4}{11}\div\dfrac{2}{11}\div\dfrac{2}{7}\div\dfrac{5}{9}$$
$$=\dfrac{4}{7}\div\dfrac{2}{7}\times\dfrac{10}{9}\div\dfrac{5}{9}\times\dfrac{4}{11}\div\dfrac{2}{11}$$
$$=\left(\dfrac{4}{7}\div\dfrac{2}{7}\right)\times\left(\dfrac{10}{9}\div\dfrac{5}{9}\right)\times\left(\dfrac{4}{11}\div\dfrac{2}{11}\right)$$
$$=2\times2\times2=8$$

> **보충 개념**
> ■÷(▲×●)=■÷▲÷●

> **보충 개념**
> 곱셈, 나눗셈으로 이루어진 식은 계산 순서를 바꾸어도 계산 결과는 같습니다.

(4) 공통인 분수를 이용하여 괄호로 묶어 봅니다.

$$\dfrac{19}{99}+\dfrac{19}{99}\times2+\dfrac{19}{99}\times3+\cdots\cdots+\dfrac{19}{99}\times10$$

$\dfrac{19}{99}=\dfrac{19}{99}\times1$로 생각합니다.

$$=\dfrac{19}{99}\times(1+2+3+\cdots\cdots+10)=\dfrac{19}{\underset{9}{99}}\times\overset{5}{55}$$
$$=\dfrac{95}{9}=10\dfrac{5}{9}$$

> **보충 개념**
> ■×●+■×▲+■×★
> =■×(●+▲+★)

(5) 분자, 분모 각각을 공통으로 곱해진 수로 묶어 봅니다.

분자에는 공통으로 1×2가 곱해져 있고, 분모에는 공통으로 2×3이 곱해져 있습니다.

$$\dfrac{1\times2+2\times4+3\times6+4\times8+\cdots\cdots+50\times100}{2\times3+4\times6+6\times9+8\times12+\cdots\cdots+100\times150}$$
$$=\dfrac{1\times1\times1\times2+2\times1\times2\times2+3\times1\times3\times2+4\times1\times4\times2+\cdots+50\times1\times50\times2}{1\times2\times1\times3+2\times2\times2\times3+3\times2\times3\times3+4\times2\times4\times3+\cdots+50\times2\times50\times3}$$

> **보충 개념**
> ■×★+●×★+▲×★
> =(■+●+▲)×★

$$= \frac{1 \times 1 \times (1 \times 2) + 2 \times 2 \times (1 \times 2) + 3 \times 3 \times (1 \times 2) + 4 \times 4 \times (1 \times 2) + \cdots + 50 \times 50 \times (1 \times 2)}{1 \times 1 \times (2 \times 3) + 2 \times 2 \times (2 \times 3) + 3 \times 3 \times (2 \times 3) + 4 \times 4 \times (2 \times 3) + \cdots + 50 \times 50 \times (2 \times 3)}$$

$$= \frac{(1 \times \overset{1}{2}) \times (1 \times 1 + 2 \times 2 + 3 \times 3 + \overset{1}{4 \times 4} + \cdots + 50 \times 50)}{(\underset{1}{2 \times 3}) \times (1 \times 1 + 2 \times 2 + 3 \times 3 + \underset{1}{4 \times 4} + \cdots + 50 \times 50)} = \frac{1}{3}$$

최상위 사고력 수를 분배하는 방법을 이용하여 분수의 분모 부분을 변형합니다.

보충 개념
$(\bullet + \blacktriangle) \times \blacksquare = \bullet \times \blacksquare + \blacktriangle \times \blacksquare$

$$\frac{257 \times 259 + 258}{258 \times 259 - 1} + \frac{258 \times 260 + 259}{259 \times 260 - 1}$$

$$= \frac{257 \times 259 + 258}{(257 + 1) \times 259 - 1} + \frac{258 \times 260 + 259}{(258 + 1) \times 260 - 1}$$

$$= \frac{257 \times 259 + 258}{257 \times 259 + 1 \times 259 - 1} + \frac{258 \times 260 + 259}{258 \times 260 + 1 \times 260 - 1}$$

$$= \frac{257 \times 259 + 258}{257 \times 259 + 258} + \frac{258 \times 260 + 259}{258 \times 260 + 259}$$

$$= 1 + 1 = 2$$

1-3. 간단히 계산하기(3)

14~15쪽

1 0

2 $\dfrac{1}{5}$

최상위 사고력 $10\dfrac{1023}{1024}$

저자 톡! 이 단원에서는 같은 수나 식이 반복되는 특정한 계산식을 간단히 계산하는 방법을 알아봅니다. 식이나 수를 ■, 가, A와 같이 한 문자로 바꾸어 생각할 수 있어야 하고, 수를 어떤 수의 곱으로 분해하기 위해 11, 101, 1001 등과 같은 수의 특징을 알고 있어야 합니다. 수와 연산 감각을 키우기 위한 한 과정이므로 반복하여 연습해 봅니다.

1 수가 반복되어 여러 번 나오는 경우에는 11, 101, 1001, 10001 등이 곱해져 있을 수 있습니다.

이 수를 이용하여 큰 수를 곱으로 나타내어 봅니다.

$2020 \times 20212021 - 2021 \times 20202020$

$= 2020 \times (2021 \times 10001) - 2021 \times (2020 \times 10001)$

$= 2020 \times 2021 \times 10001 - 2020 \times 2021 \times 10001$

$= 0$

보충 개념
$\blacksquare \times 11 = \blacksquare\blacksquare$
$\blacksquare\blacktriangle \times 101 = \blacksquare\blacktriangle\blacksquare\blacktriangle$
$\blacksquare\blacktriangle\bullet \times 1001 = \blacksquare\blacktriangle\bullet\blacksquare\blacktriangle\bullet$
$\blacksquare\blacktriangle\bullet\star \times 10001 = \blacksquare\blacktriangle\bullet\star\blacksquare\blacktriangle\bullet\star$

2 계산식이 복잡할 때 반복되는 수를 한 문자로 놓으면 간단히 계산할 수 있습니다.

$\dfrac{1}{2} + \dfrac{1}{3} + \dfrac{1}{4} =$ A로 놓으면

$\left(1 + \dfrac{1}{2} + \dfrac{1}{3} + \dfrac{1}{4}\right) \times \left(\dfrac{1}{2} + \dfrac{1}{3} + \dfrac{1}{4} + \dfrac{1}{5}\right) - \left(1 + \dfrac{1}{2} + \dfrac{1}{3} + \dfrac{1}{4} + \dfrac{1}{5}\right) \times \left(\dfrac{1}{2} + \dfrac{1}{3} + \dfrac{1}{4}\right)$

$$=(1+A)\times\left(A+\frac{1}{5}\right)-\left(A+\frac{6}{5}\right)\times A$$

$$=\left(A+\frac{1}{5}+A\times A+A\times\frac{1}{5}\right)-\left(A\times A+\frac{6}{5}\times A\right)$$

$$=A\times A+\frac{6}{5}\times A+\frac{1}{5}-A\times A-\frac{6}{5}\times A$$

$$=\frac{1}{5}$$

보충 개념

$(\blacksquare+\blacktriangle)\times(\bullet+\star)$
$=\blacksquare\times(\bullet+\star)+\blacktriangle\times(\bullet+\star)$
$=\blacksquare\times\bullet+\blacksquare\times\star+\blacktriangle\times\bullet+\blacktriangle\times\star$
두 번 분배하여 계산합니다.

$A+\frac{1}{5}\times A=1\times A+\frac{1}{5}\times A$

$=\left(1+\frac{1}{5}\right)\times A=\frac{6}{5}\times A$

최상위 사고력

$$1\frac{1}{2}+1\frac{1}{4}+1\frac{1}{8}+1\frac{1}{16}+\cdots\cdots+1\frac{1}{1024}$$

$1024=2\times2\times\cdots\cdots\times2$입니다. (10번)

$$=1\times10+\frac{1}{2}+\frac{1}{4}+\frac{1}{8}+\cdots\cdots+\frac{1}{1024}$$

$\frac{1}{2}+\frac{1}{4}+\frac{1}{8}+\cdots\cdots+\frac{1}{1024}=A(\cdots\cdots\text{㉠})$로 놓은 후,

이 식의 양변에 $\frac{1}{2}$을 곱합니다.

$$\frac{1}{2}\times A=\frac{1}{2}\times\left(\frac{1}{2}+\frac{1}{4}+\frac{1}{8}+\cdots\cdots+\frac{1}{1024}\right)$$

$$=\frac{1}{4}+\frac{1}{8}+\frac{1}{16}+\cdots\cdots+\frac{1}{1024}+\frac{1}{2048}(\cdots\cdots\text{㉡})$$

㉠-㉡을 합니다.

$$A-\frac{1}{2}\times A=\frac{1}{2}+\frac{1}{4}+\frac{1}{8}+\cdots\cdots+\frac{1}{1024}-\left(\frac{1}{4}+\frac{1}{8}+\frac{1}{16}+\cdots\cdots+\frac{1}{2048}\right)$$

$\frac{1}{2}\times A=\frac{1}{2}-\frac{1}{2048}$의 양변에 2를 곱하면 $A=1-\frac{1}{1024}=\frac{1023}{1024}$

따라서 $1\frac{1}{2}+1\frac{1}{4}+1\frac{1}{8}+1\frac{1}{16}+\cdots\cdots+1\frac{1}{1024}=1\times10+A$

$$=10+\frac{1023}{1024}=10\frac{1023}{1024}\text{ 입니다.}$$

해결 전략

대분수의 자연수 부분끼리, 분수 부분끼리 나누어서 계산합니다.

보충 개념

등식의 양변에 같은 수를 곱해도 등식은 성립합니다.
$\blacksquare=\blacktriangle \Rightarrow \blacksquare\times\bullet=\blacktriangle\times\bullet$

보충 개념

$\blacksquare\times(\bullet+\blacktriangle+\star+\heartsuit)$
$=\blacksquare\times\bullet+\blacksquare\times\blacktriangle+\blacksquare\times\star+\blacksquare\times\heartsuit$

최상위 사고력

16~17쪽

1   1000000000000

2   $\frac{3}{4}$

3   $\frac{52}{123}$

4   8192

1

$$999995 \times 999995 + 1999995 \times 5$$
$$= 999995 \times 999995 + \underline{(1000000 + 999995) \times 5}$$
$$= 999995 \times 999995 + 1000000 \times 5 + 999995 \times 5$$
$$= 999995 \times (999995 + 5) + 1000000 \times 5$$
$$= \underline{999995 \times 1000000 + 5 \times 1000000}$$
$$= (999995 + 5) \times 1000000$$
$$= 1000000 \times 1000000$$
$$= 1000000000000$$

보충 개념
$$(\blacksquare + \blacktriangle) \times \bullet = \blacksquare \times \bullet + \blacktriangle \times \bullet$$
$$\blacksquare \times \bullet + \blacktriangle \times \bullet = (\blacksquare + \blacktriangle) \times \bullet$$

2

$$7\frac{1}{2} \times \left(\frac{2}{2004} + \frac{4}{2004} + \cdots\cdots + \frac{2002}{2004} + \frac{2004}{2004} \right.$$
$$\left. - \left(\frac{1}{2004} + \frac{3}{2004} + \frac{5}{2004} + \cdots\cdots + \frac{2001}{2004} + \frac{2003}{2004} \right) \right) \div 5$$
$$= \frac{15}{2} \times \left(\left(\frac{2}{2004} - \frac{1}{2004} \right) + \left(\frac{4}{2004} - \frac{3}{2004} \right) \right.$$
$$\left. + \cdots\cdots + \left(\frac{2004}{2004} - \frac{2003}{2004} \right) \right) \div 5$$
$$= \frac{15}{2} \times \left(\frac{1}{2004} + \frac{1}{2004} + \cdots\cdots + \frac{1}{2004} \right) \div 5$$
1002개
$$= \frac{15}{2} \times \frac{\overset{3}{1002}}{\underset{2}{2004}} \times \frac{1}{\underset{1}{5}} = \frac{3}{4}$$

해결 전략
괄호를 먼저 풀어 계산 결과가 규칙적으로 나오는 것을 찾아봅니다.

보충 개념
$$(\blacksquare + \blacktriangle) - (\bullet + \bigstar)$$
$$= \blacksquare + \blacktriangle - \bullet - \bigstar$$
$$= (\blacksquare - \bullet) + (\blacktriangle - \bigstar)$$

3

$$\frac{4}{123} + \frac{4004}{123123} + \frac{44044044}{123123123}$$
$$= \frac{4}{123} + \frac{4 \times \overset{1}{1001}}{123 \times \underset{1}{1001}} + \frac{44 \times \overset{1}{1001001}}{123 \times \underset{1}{1001001}}$$
$$= \frac{4}{123} + \frac{4}{123} + \frac{44}{123} = \frac{52}{123}$$

해결 전략
수가 반복되는 특징이 있으므로 11, 101, 1001 등으로 이루어진 수와의 곱을 생각합니다.

4 새로 그린 직각이등변삼각형의 넓이는 그리기 전의 직각이등변삼각형의 넓이의 $\frac{1}{4}$이 되는 규칙이 있습니다.

보충 개념
등식의 양변에 같은 수를 곱해도 등식은 성립합니다.
$$\blacksquare = \blacktriangle \Rightarrow \blacksquare \times \bullet = \blacktriangle \times \bullet$$

순서	첫 번째	두 번째	세 번째	네 번째	……
새로 그린 직각이등변 삼각형의 넓이(cm²)	8	2	$\frac{1}{2}$	$\frac{1}{8}$	……

첫 번째부터 아홉 번째까지의 색칠된 직각이등변삼각형의 넓이의 합을 A라고 놓으면

$$A = 8 + 2 + \frac{1}{2} + \frac{1}{8} + \frac{1}{32} + \frac{1}{128} + \frac{1}{512} + \frac{1}{2048} + \frac{1}{8192} (\cdots\cdots \text{㉠})$$

이 식의 양변에 4를 곱합니다.

$$4 \times A = 4 \times \left(8 + 2 + \frac{1}{2} + \frac{1}{8} + \frac{1}{32} + \cdots\cdots + \frac{1}{8192} \right)$$

$$4 \times A = 32 + 8 + 2 + \frac{1}{2} + \frac{1}{8} + \cdots\cdots + \frac{1}{512} + \frac{1}{2048} (\cdots\cdots ⓛ)$$

ⓛ−⊙을 합니다.

$$4 \times A - A = 32 + 8 + 2 + \frac{\cancel{1}}{\cancel{2}} + \frac{\cancel{1}}{\cancel{8}} + \cdots\cdots + \frac{1}{\cancel{2048}} - \left(8 + \cancel{2} + \frac{\cancel{1}}{\cancel{2}} + \frac{\cancel{1}}{\cancel{8}} + \frac{\cancel{1}}{\cancel{32}} + \cdots\cdots + \frac{1}{8192}\right)$$

$$3 \times A = 32 - \frac{1}{8192}$$

등식의 양변에 $\frac{1}{3}$을 곱하면 $A = \frac{1}{3} \times \left(32 - \frac{1}{8192}\right)$

따라서 □ 안에 알맞은 수는 8192입니다.

2-1. 약속과 규칙

1 $1\frac{1}{2}$

2 (1) $1, 4\frac{1}{4}$ (2) $2\frac{17}{32}$

최상위 사고력 A 225

최상위 사고력 B $1\frac{3}{13}$

저자 톡! 연산 약속에 맞게 분수식을 계산하고, 거꾸로 분수식에서 규칙을 찾아 주어진 분수식을 계산하는 내용입니다. 이 주제는 간단하게 학습할 수 있는 내용이지만 뒤에서 배우게 될 부분분수를 이해하는데 도움이 되므로 두 주제를 연결지어 학습하도록 합니다.

1 괄호 안의 식부터 계산합니다.

$$3 ♣ (6 ♣ 6) = 3 ♣ \frac{6 \times 6}{6 + 6} = 3 ♣ 3 = \frac{3 \times 3}{3 + 3} = \frac{9}{6} = \frac{3}{2} = 1\frac{1}{2}$$

> **보충 개념**
> 혼합 계산 순서
> ( ) ➡ ×, ÷ ➡ +, −

2 대분수를 가분수로 고쳐서 분수의 규칙을 찾습니다.

(1) 첫 번째 수는 $\frac{2}{8}$, 두 번째 수는 $\frac{3}{8}$이고 세 번째 수부터는 바로 앞의 두 수의 합을 나타낸 규칙입니다.

$$\frac{1}{4}, \frac{3}{8}, \frac{5}{8}, \boxed{1}, 1\frac{5}{8}, 2\frac{5}{8}, \boxed{4\frac{1}{4}}$$
$$\|\qquad\qquad\quad\|\qquad\qquad\qquad\qquad\|$$
$$\frac{2}{8}\qquad \frac{3}{8} + \frac{5}{8} = \frac{8}{8}\qquad \frac{13}{8} + \frac{21}{8} = \frac{34}{8} = 4\frac{2}{8}$$

따라서 □ 안에 알맞은 수는 $1, 4\frac{1}{4}$입니다.

> **해결 전략**
> 바로 앞의 두 수와의 관계를 생각해 봅니다.

(2)
$$\overset{\times 3}{\frown}\ \overset{\times 3}{\frown}\ \overset{\times 3}{\frown}\ \overset{\times 3}{\frown}$$
$$\frac{1}{2}, \frac{3}{4}, \frac{9}{8}, \frac{27}{16}, \boxed{\frac{81}{32}}$$
$$\underset{\times 2}{\smile}\ \underset{\times 2}{\smile}\ \underset{\times 2}{\smile}\ \underset{\times 2}{\smile}$$

따라서 □ 안에 알맞은 수는 $2\frac{17}{32}$입니다.

> **해결 전략**
> 분자끼리, 분모끼리 나누어서 규칙을 생각해 봅니다.

> **주의**
> 답이 가분수이면 대분수로 고쳐서 나타냅니다.

다★9＝91을 연산 기호에 맞게 식으로 나타낸 후 다가 나타내는 수를 구합니다.

$5 \times$ 다$+4 \times 9 = 91$, $5 \times$ 다$= 55$, 다$= 11$

주어진 식 $\frac{1}{5} \star \left($ 다$\star \frac{1}{4}\right)$을 괄호 안의 식부터 계산합니다. 다$=11$이므로

$11 \star \frac{1}{4} = 5 \times 11 + 4 \times \frac{1}{4} = 55 + 1 = 56$

$\frac{1}{5} \star \left(11 \star \frac{1}{4}\right) = \frac{1}{5} \star 56 = 5 \times \frac{1}{5} + 4 \times 56 = 1 + 224 = 225$

|보기|에서 두 대분수의 합과 곱이 서로 같습니다.

두 대분수의 특징은 가분수로 고쳤을 때 두 분수의 분자는 서로 같고, 이 때의 분자는 두 분수의 분모의 합과 같습니다.

|보기|와 같은 방법을 이용하면 $5\frac{1}{3} = \frac{16}{3}$이므로 □ 안에 알맞은 분수는 분자가 16이고, 분모는 두 분수의 분모의 합이 분자인 16이 되어야 하므로 13입니다.

따라서 □ 안에 알맞은 수는 $\frac{16}{13} = 1\frac{3}{13}$입니다.

보충 개념

$4\frac{1}{4} = \frac{17}{4}$, $1\frac{4}{13} = \frac{17}{13}$

$4 + 13 = 17$

$2\frac{2}{3} = \frac{8}{3}$, $1\frac{3}{5} = \frac{8}{5}$

$3 + 5 = 8$

2-2. 소수의 계산   20~21쪽

1 (1) 11.1   (2) 190   (3) 2215.334   (4) 397.8   (5) 242   최상위
사고력 1215

저자 톡! 복잡한 분수식의 계산에 이어 복잡한 소수식을 간단히 나타낸 후 계산해 봅니다. 자연수와 1보다 작은 수로 이루어진 소수의 특징에 주목하여 계산 순서 바꾸기, 수를 분해하고 결합하기 등을 이용합니다.

1 (1) $8 \times 125 = 1000$을 이용합니다.

8.88×1.25

$= (8 + 0.8 + 0.08) \times 1.25 = 8 \times 1.25 + 0.8 \times 1.25 + 0.08 \times 1.25$

$= 10 + 1 + 0.1 = 11.1$

(2) 자연수 부분과 소수 부분으로 나눈 후 각각 계산합니다.

$9.1 + 9.2 + 9.3 + 9.4 + \cdots\cdots + 10.8 + 10.9$

$= \underbrace{(9 + 9 + \cdots\cdots + 9)}_{9\text{개}} + \underbrace{(10 + 10 + \cdots\cdots + 10)}_{10\text{개}}$

$\quad + (0.1 + 0.2 + \cdots\cdots + 0.9) \times 2$

$= 9 \times 9 + 10 \times 10 + 4.5 \times 2 = 81 + 100 + 9 = 190$

보충 개념

$(\blacksquare + \blacktriangle + \bullet) \times \star$
$= \blacksquare \times \star + \blacktriangle \times \star + \bullet \times \star$

보충 개념

소수점을 기준으로 자연수 부분과 소수 부분으로 나눌 수 있습니다.

(3) 주어진 수를 계산이 간편하게 되도록 두 수의 차로 나타낸 후 계산합니다.

$1994+199.4+19.94+1.994$

$=(2000-6)+(200-0.6)+(20-0.06)+(2-0.006)$

$=2000-6+200-0.6+20-0.06+2-0.006$

$=(2000+200+20+2)-\underline{(6+0.6+0.06+0.006)}$

$=2222-6.666$

$=2215.334$

보충 개념

빼는 수끼리 괄호로 묶어서 모두 더한 후 한번에 빼도 계산 결과는 같습니다.

(4) 공통인 수 198.9가 나타나도록 식을 변형하고, 괄호를 이용하여 식을 간단히 나타낸 후 계산합니다.

$1990\times198.9-1989\times198.8$

$=1990\times198.9-\underline{198.9\times1988}$

$\qquad 1989\times198.8=198.9\times10\times198.8$
$\qquad\qquad\qquad\quad =198.9\times1988$

$=\underline{198.9\times(1990-1988)}$

$=198.9\times2=397.8$

보충 개념

$\blacksquare\times\bullet-\blacksquare\times\blacktriangle=\blacksquare\times(\bullet-\blacktriangle)$

(5) 나열된 모든 수에는 1.1이 곱해져 있으므로 공통인 수 1.1과 괄호를 이용하여 식을 간단히 나타낸 후 계산합니다.

$5.5\times6.6+6.6\times7.7+7.7\times8.8+8.8\times9.9$

$=1.1\times5\times1.1\times6+1.1\times6\times1.1\times7+1.1\times7\times1.1\times8+1.1\times8\times1.1\times9$

$=1.1\times1.1\times5\times6+1.1\times1.1\times6\times7+1.1\times1.1\times7\times8+1.1\times1.1\times8\times9$

$=\underline{1.1\times1.1}\times(5\times6+6\times7+7\times8+8\times9)$

$\qquad\qquad\qquad 1.1\times1.1$로 묶어서 나타냈습니다.

$=1.21\times(30+42+56+72)$

$=1.21\times200$

$=242$

최상위 사고력 괄호 안의 수를 공통인 수로 묶어 식을 간단히 나타낸 후 계산합니다.

$(1-0.625\times1)+(2-0.625\times2)+(3-0.625\times3)$

$+\cdots\cdots+(79-0.625\times79)+(80-0.625\times80)$

$=\underline{(1\times1-0.625\times1)+(1\times2-0.625\times2)}$

$\quad\underline{+(1\times3-0.625\times3)+\cdots\cdots+(1\times79-0.625\times79)}$

$\quad\underline{+(1\times80-0.625\times80)}$

$=(1-0.625)\times1+(1-0.625)\times2+(1-0.625)\times3$

$\quad+\cdots\cdots+(1-0.625)\times80$

$=0.375\times(1+2+3+\cdots\cdots+80)$

$=0.375\times81\times40$

$=1215$

$\qquad 1+2+3+4+\cdots\cdots+77+78+79+80$
$\qquad\qquad\qquad 81$이 40개

보충 개념

$1\times\blacksquare-0.625\times\blacksquare=(1-0.625)\times\blacksquare$ 를 이용하여 간단히 나타냅니다.

1　(1) $\dfrac{5}{6}$　(2) $\dfrac{10}{11}$　(3) $64\dfrac{7}{18}$　(4) $\dfrac{3}{5}$　　　최상위 사고력　77

저자 톡! 분수의 분모와 분자가 두 자연수의 곱과 합 또는 두 자연수의 곱과 차로 이루어지면 1개의 분수를 2개의 분수의 합 또는 차로 쪼개어 나타낼 수 있습니다. 이렇게 식을 바꾸어 나타내면 분수의 곱셈에서 분모와 분자를 약분하듯이 같은 수를 더하고 빼는 과정이 나타나게 되므로 식의 계산을 간단히 할 수 있습니다. 다양한 부분분수를 써 보며 충분히 연습하기 바랍니다.

1　(1) 각 분수들이 분모는 연속한 두 자연수의 곱으로, 분자는 두 수의 차인 1로 이루어졌으므로

$\dfrac{1}{㉠\times㉡}=\dfrac{1}{㉠}\times\dfrac{1}{㉡}=\dfrac{1}{㉠}-\dfrac{1}{㉡}$ 로 간단히 나타낸 후 계산합니다.

$\dfrac{1}{1\times2}+\dfrac{1}{2\times3}+\dfrac{1}{3\times4}+\dfrac{1}{4\times5}+\dfrac{1}{5\times6}$

$=\dfrac{1}{1}\times\dfrac{1}{2}+\dfrac{1}{2}\times\dfrac{1}{3}+\dfrac{1}{3}\times\dfrac{1}{4}+\dfrac{1}{4}\times\dfrac{1}{5}+\dfrac{1}{5}\times\dfrac{1}{6}$

$=1-\dfrac{1}{\cancel{2}}+\dfrac{1}{\cancel{2}}-\dfrac{1}{\cancel{3}}+\dfrac{1}{\cancel{3}}-\dfrac{1}{\cancel{4}}+\dfrac{1}{\cancel{4}}-\dfrac{1}{\cancel{5}}+\dfrac{1}{\cancel{5}}-\dfrac{1}{6}$

$=1-\dfrac{1}{6}=\dfrac{5}{6}$

(2) 각 분수들이 분모는 두 수의 곱으로, 분자는 두 수의 차인 2로 이루어졌으므로

$\dfrac{㉡-㉠}{㉠\times㉡}=\dfrac{1}{㉠}-\dfrac{1}{㉡}$ 로 간단히 나타낸 후 계산합니다.

$\dfrac{2}{1\times3}+\dfrac{2}{3\times5}+\dfrac{2}{5\times7}+\dfrac{2}{7\times9}+\dfrac{2}{9\times11}$

$=\dfrac{3-1}{1\times3}+\dfrac{5-3}{3\times5}+\dfrac{7-5}{5\times7}+\dfrac{9-7}{7\times9}+\dfrac{11-9}{9\times11}$

$=1-\dfrac{1}{\cancel{3}}+\dfrac{1}{\cancel{3}}-\dfrac{1}{\cancel{5}}+\dfrac{1}{\cancel{5}}-\dfrac{1}{\cancel{7}}+\dfrac{1}{\cancel{7}}-\dfrac{1}{\cancel{9}}+\dfrac{1}{\cancel{9}}-\dfrac{1}{11}$

$=1-\dfrac{1}{11}=\dfrac{10}{11}$

(3) 대분수를 자연수와 진분수로 나눈 후 각각 계산합니다.

$1+3\dfrac{1}{6}+5\dfrac{1}{12}+7\dfrac{1}{20}+9\dfrac{1}{30}+11\dfrac{1}{42}+13\dfrac{1}{56}+15\dfrac{1}{72}$

$=(1+3+5+7+9+11+13+15)+\left(\dfrac{1}{6}+\dfrac{1}{12}+\dfrac{1}{20}+\dfrac{1}{30}+\dfrac{1}{42}+\dfrac{1}{56}+\dfrac{1}{72}\right)$

$=64+\left(\dfrac{1}{2\times3}+\dfrac{1}{3\times4}+\dfrac{1}{4\times5}+\dfrac{1}{5\times6}+\dfrac{1}{6\times7}+\dfrac{1}{7\times8}+\dfrac{1}{8\times9}\right)$

$=64+\left(\dfrac{1}{2}-\dfrac{1}{\cancel{3}}+\dfrac{1}{\cancel{3}}-\dfrac{1}{\cancel{4}}+\dfrac{1}{\cancel{4}}-\dfrac{1}{\cancel{5}}+\dfrac{1}{\cancel{5}}-\dfrac{1}{\cancel{6}}+\dfrac{1}{\cancel{6}}-\dfrac{1}{\cancel{7}}+\dfrac{1}{\cancel{7}}-\dfrac{1}{\cancel{8}}+\dfrac{1}{\cancel{8}}-\dfrac{1}{9}\right)$

$=64+\dfrac{1}{2}-\dfrac{1}{9}=64+\dfrac{7}{18}=64\dfrac{7}{18}$

(4) 각 분수들이 분모는 두 수의 곱으로, 분자는 두 수의 합으로 이루어졌으므로

$\dfrac{\text{ⓛ}+\text{㉠}}{\text{㉠}\times\text{ⓛ}}=\dfrac{1}{\text{㉠}}+\dfrac{1}{\text{ⓛ}}$ 로 간단히 나타낸 후 계산합니다.

$$1-\frac{5}{6}+\frac{7}{12}-\frac{9}{20}+\frac{11}{30}-\frac{13}{42}+\frac{15}{56}-\frac{17}{72}+\frac{19}{90}$$
$$=1-\left(\frac{1}{2}+\frac{1}{3}\right)+\left(\frac{1}{3}+\frac{1}{4}\right)-\left(\frac{1}{4}+\frac{1}{5}\right)+\cdots\cdots+\left(\frac{1}{9}+\frac{1}{10}\right)$$
$$=1-\frac{1}{2}-\frac{1}{\cancel{3}}+\frac{1}{\cancel{3}}+\frac{1}{\cancel{4}}-\frac{1}{\cancel{4}}-\frac{1}{\cancel{5}}+\cdots\cdots+\frac{1}{\cancel{9}}+\frac{1}{10}$$
$$=1-\frac{1}{2}+\frac{1}{10}=\frac{3}{5}$$

> **보충 개념**
> 괄호를 풀 때 덧셈, 뺄셈 기호에 주의합니다.
> ■−(●+▲)+(★+♥)
> =■−●−▲+★+♥

최상위 사고력

$$\left(4\frac{1}{12}-3\frac{3}{20}+2\frac{17}{30}-2\frac{7}{42}+1\frac{49}{56}\right)\div\frac{1}{24}$$
$$=\left(\frac{49}{12}-\frac{63}{20}+\frac{77}{30}-\frac{91}{42}+\frac{105}{56}\right)\div\frac{1}{24}$$
$$=\left(7\times\frac{7}{12}-7\times\frac{9}{20}+7\times\frac{11}{30}-7\times\frac{13}{42}+7\times\frac{15}{56}\right)\times 24$$
$$=7\times\left(\frac{7}{12}-\frac{9}{20}+\frac{11}{30}-\frac{13}{42}+\frac{15}{56}\right)\times 24$$
$$=7\times\left(\frac{3+4}{3\times4}-\frac{4+5}{4\times5}+\frac{5+6}{5\times6}-\frac{6+7}{6\times7}+\frac{7+8}{7\times8}\right)\times 24$$
$$=7\times\left(\left(\frac{1}{3}+\frac{1}{4}\right)-\left(\frac{1}{4}+\frac{1}{5}\right)+\left(\frac{1}{5}+\frac{1}{6}\right)-\left(\frac{1}{6}+\frac{1}{7}\right)+\left(\frac{1}{7}+\frac{1}{8}\right)\right)\times 24$$
$$=7\times\left(\frac{1}{3}+\frac{1}{\cancel{4}}-\frac{1}{\cancel{4}}-\frac{1}{\cancel{5}}+\frac{1}{\cancel{5}}+\frac{1}{\cancel{6}}-\frac{1}{\cancel{6}}-\frac{1}{\cancel{7}}+\frac{1}{\cancel{7}}+\frac{1}{8}\right)\times 24$$
$$=7\times\left(\frac{1}{3}+\frac{1}{8}\right)\times 24$$
$$=7\times\frac{11}{\cancel{24}_{1}}\times\cancel{24}^{1}$$
$$=77$$

> **해결 전략**
> 대분수를 가분수로 나타낸 후 공통인 수를 이용하여 괄호를 묶습니다.

> **보충 개념**
> 각 분수들이 분모는 두 수의 곱으로, 분자는 두 수의 합으로 이루어졌으므로
> $\dfrac{\text{㉠}+\text{ⓛ}}{\text{㉠}\times\text{ⓛ}}=\dfrac{1}{\text{㉠}}+\dfrac{1}{\text{ⓛ}}$ 을 이용합니다.

최상위 사고력

24~25쪽

1 (1) 0.88888889   (2) 2777.3

2 $\dfrac{7}{10}$

3 10

4 2500

---

1 (1) 분수를 소수로 고친 후 계산합니다.

$$1-\frac{1}{10}-\frac{1}{100}-\frac{1}{1000}-\frac{1}{10000}-\cdots\cdots-\frac{1}{100000000}$$
$$=1-0.1-0.01-0.001-0.0001-\cdots\cdots-0.00000001$$
$$=1-0.11111111=0.88888889$$

(2) $9999.8 \div 4 + 999.8 \div 4 + 99.8 \div 4 + 9.8 \div 4$

보충 개념
$\blacksquare \div \bigstar + \bullet \div \bigstar + \blacktriangle \div \bigstar$
$= (\blacksquare + \bullet + \blacktriangle) \div \bigstar$

$= (9999.8 + 999.8 + 99.8 + 9.8) \div 4$

$= (10000 - 0.2 + 1000 - 0.2 + 100 - 0.2 + 10 - 0.2) \div 4$

$= (10000 + 1000 + 100 + 10 - 0.2 - 0.2 - 0.2 - 0.2) \div 4$

$= (11110 - 0.8) \div 4$

$= 11110 \div 4 - 0.8 \div 4$

$= 2777.5 - 0.2$

$= 2777.3$

2 각 분수들의 분모는 두 수의 곱으로, 분자는 두 수의 합 또는 차로

이루어졌으므로 $\dfrac{\bigcirc\!\!\!\bigcirc + \bigcirc\!\!\!\!\!\text{ㄱ}}{\bigcirc\!\!\!\!\!\text{ㄱ} \times \bigcirc\!\!\!\bigcirc} = \dfrac{1}{\bigcirc\!\!\!\!\!\text{ㄱ}} + \dfrac{1}{\bigcirc\!\!\!\bigcirc}$, $\dfrac{\bigcirc\!\!\!\bigcirc - \bigcirc\!\!\!\!\!\text{ㄱ}}{\bigcirc\!\!\!\!\!\text{ㄱ} \times \bigcirc\!\!\!\bigcirc} = \dfrac{1}{\bigcirc\!\!\!\!\!\text{ㄱ}} - \dfrac{1}{\bigcirc\!\!\!\bigcirc}$로 간단히

나타낸 후 계산합니다.

$\dfrac{3}{10} + \dfrac{8}{15} - \dfrac{4}{21} + \dfrac{3}{28} - \dfrac{5}{36} + \dfrac{4}{45}$

$= \dfrac{5-2}{2\times5} + \dfrac{5+3}{3\times5} - \dfrac{7-3}{3\times7} + \dfrac{7-4}{4\times7} - \dfrac{9-4}{4\times9} + \dfrac{9-5}{5\times9}$

$= \left(\dfrac{1}{2} - \dfrac{1}{5}\right) + \left(\dfrac{1}{3} + \dfrac{1}{5}\right) - \left(\dfrac{1}{3} - \dfrac{1}{7}\right) + \left(\dfrac{1}{4} - \dfrac{1}{7}\right) - \left(\dfrac{1}{4} - \dfrac{1}{9}\right) + \left(\dfrac{1}{5} - \dfrac{1}{9}\right)$

보충 개념
괄호를 풀 때 덧셈, 뺄셈 기호에 주의합니다.
$(\bullet - \blacktriangle) - (\bigstar - \heartsuit)$
$= \bullet - \blacktriangle - \bigstar + \heartsuit$

$= \dfrac{1}{2} - \dfrac{1}{5} + \dfrac{1}{3} + \dfrac{1}{5} - \dfrac{1}{3} + \dfrac{1}{7} + \dfrac{1}{4} - \dfrac{1}{7} - \dfrac{1}{4} + \dfrac{1}{9} + \dfrac{1}{5} - \dfrac{1}{9}$

$= \dfrac{1}{2} + \dfrac{1}{5} = \dfrac{7}{10}$

3 $\dfrac{1}{110} + \dfrac{1}{132} + \dfrac{1}{156} - \dfrac{3}{13 \times \square} = 0$

각 분수들의 분모는 두 수의 곱으로, 분자는 두 수의 차로 이루어졌으므로

$\dfrac{\bigcirc\!\!\!\bigcirc - \bigcirc\!\!\!\!\!\text{ㄱ}}{\bigcirc\!\!\!\!\!\text{ㄱ} \times \bigcirc\!\!\!\bigcirc} = \dfrac{1}{\bigcirc\!\!\!\!\!\text{ㄱ}} - \dfrac{1}{\bigcirc\!\!\!\bigcirc}$로 간단히 나타낸 후 계산합니다.

$\dfrac{11-10}{10\times11} + \dfrac{12-11}{11\times12} + \dfrac{13-12}{12\times13} - \dfrac{3}{13 \times \square} = 0$

$\dfrac{1}{10} - \dfrac{1}{11} + \dfrac{1}{11} - \dfrac{1}{12} + \dfrac{1}{12} - \dfrac{1}{13} - \dfrac{3}{13 \times \square} = 0$

$\dfrac{1}{10} - \dfrac{1}{13} - \dfrac{3}{13 \times \square} = 0$

이때 $\dfrac{1}{10} - \dfrac{1}{13} = \dfrac{13-10}{10\times13}$이므로 $\dfrac{13-10}{10\times13} - \dfrac{3}{13 \times \square} = 0$, $\dfrac{3}{13 \times 10} - \dfrac{3}{13 \times \square} = 0$

따라서 $\square$ 안에 알맞은 수는 10입니다.

4 $\text{가} \heartsuit \text{나} = \left(\text{가} \div \dfrac{1}{\text{나}}\right) \div \left(\dfrac{1}{\text{나}} \div \text{가}\right) = (\text{가} \times \text{나}) \div \left(\dfrac{1}{\text{나}} \times \dfrac{1}{\text{가}}\right)$

해결 전략
새로운 연산 기호 $\heartsuit$를 먼저 간단히 합니다.

$= \text{가} \times \text{나} \times \text{나} \times \text{가} = \text{가} \times \text{가} \times \text{나} \times \text{나}$

$$\left(\frac{3}{2} \heartsuit \frac{4}{3}\right) \times \left(\frac{5}{4} \heartsuit \frac{6}{5}\right) \times \left(\frac{7}{6} \heartsuit \frac{8}{7}\right) \times \cdots\cdots \times \left(\frac{99}{98} \heartsuit \frac{100}{99}\right)$$

$$= \left(\frac{3}{2} \times \frac{3}{2} \times \frac{\overset{1}{4}}{\underset{1}{3}} \times \frac{\overset{1}{4}}{\underset{1}{3}}\right) \times \left(\frac{\overset{1}{5}}{\underset{1}{4}} \times \frac{\overset{1}{5}}{\underset{1}{4}} \times \frac{\overset{1}{6}}{\underset{1}{5}} \times \frac{\overset{1}{6}}{\underset{1}{5}}\right) \times \left(\frac{\overset{1}{7}}{\underset{1}{6}} \times \frac{\overset{1}{7}}{\underset{1}{6}} \times \frac{\overset{1}{8}}{\underset{1}{7}} \times \frac{\overset{1}{8}}{\underset{1}{7}}\right)$$

$$\times \cdots\cdots \times \left(\frac{\overset{1}{99}}{\underset{1}{98}} \times \frac{\overset{1}{99}}{\underset{1}{98}} \times \frac{100}{\underset{1}{99}} \times \frac{100}{\underset{1}{99}}\right)$$

$$= \frac{1}{\underset{1}{2}} \times \frac{1}{\underset{1}{2}} \times \overset{50}{100} \times \overset{50}{100} = 50 \times 50 = 2500$$

최상위 사고력 3 분수 계산의 응용

3-1. 분수 포포즈

26~27쪽

1 예

1	$\dfrac{4}{4+4-4}$	6	$4+\dfrac{4+4}{4}$
2	$\dfrac{4 \times 4}{4+4}$	7	$4+4-\dfrac{4}{4}$
3	$\dfrac{4+4+4}{4}$	8	$4 \times \dfrac{4+4}{4}$
4	$\dfrac{4-4}{4}+4$	9	$4+4+\dfrac{4}{4}$
5	$\dfrac{4 \times 4+4}{4}$	10	$\dfrac{44-4}{4}$

최상위 사고력 A 예

1	$(4+4) \div 4 - \dfrac{4}{4}$
2	$(4+4) \div 4 \times \dfrac{4}{4}$
3	$4+4-4-\dfrac{4}{4}$
4	$(4-4) \times \dfrac{4}{4} + 4$

최상위 사고력 B 예 $\dfrac{444}{444}=1$, $\dfrac{4}{4} \times \dfrac{44}{44}=1$, $\dfrac{4}{4}-\dfrac{4}{4}+\dfrac{4}{4}=1$, $\dfrac{4}{4} \times \dfrac{4}{4} \div \dfrac{4}{4}=1$, $\dfrac{4}{4} \times \dfrac{4}{4} \times \dfrac{4}{4}=1$, $\dfrac{4+4-4+4-4}{4}=1$

저자 톡! 네 개의 숫자 4와 연산 기호를 이용하여 목표수를 만드는 것을 포포즈(four fours)라고 합니다. 이 단원에서는 4개의 4와 분수식을 이용하여 1부터 10까지의 수를 만들어 봅니다. 또한 목표수를 만드는 여러 가지 방법이 있을 수 있으므로 다양한 방법으로 만들어 보며 분수 감각을 기를 수 있도록 합니다.

최상위 사고력 A 이외에도 여러 가지 답이 있습니다.

$$(4-4) \times 4 + \frac{4}{4}=1, \quad (4-4) \div 4 + \frac{4}{4}=1$$

$$4-\frac{4}{4}-\frac{4}{4}=2, \quad 4-\left(\frac{4}{4}+\frac{4}{4}\right)=2, \quad \frac{4+4}{4}+4-4=2$$

$$\frac{4}{4} \times 4 - \frac{4}{4}=3, \quad 4-\frac{44}{44}=3, \quad 4+4-\left(4+\frac{4}{4}\right)=3, \quad \frac{4+4}{4}+\frac{4}{4}=3$$

$$4 \times \frac{4}{4} \times \frac{4}{4}=4, \quad \frac{4}{4}-\frac{4}{4}+4=4, \quad \frac{4+4+4+4}{4}=4$$

최상위 사고력 B 이외에도 여러 가지 답이 있습니다.

$$\frac{4}{4} \div \frac{4}{4} \div \frac{4}{4}=1, \quad \frac{4 \times 4 \times 4 \div 4 \div 4}{4}=1$$

1 54 cm	2 840명	최상위 사고력 70명

저자 톡! 문장제 문제는 많은 학생들이 어려워하는 문제입니다. 문제의 전체적인 상황을 파악하기 힘들어 어려워 하는 경우가 많은데 이때 주로 사용하는 방법이 그림 그리기와 식 세우기입니다. 여기서는 분수의 의미를 생각하며 풀기와 □를 이용하여 식 세워 풀기로 문장제 문제를 해결해 봅니다.

1

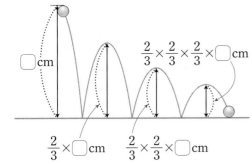

처음에 공을 떨어뜨린 높이를 □라 하여 식을 세웁니다.

첫 번째로 공이 튀어 오른 높이: $\frac{2}{3} \times \square$

두 번째로 공이 튀어 오른 높이: $\frac{2}{3} \times \frac{2}{3} \times \square$

세 번째로 공이 튀어 오른 높이: $\frac{2}{3} \times \frac{2}{3} \times \frac{2}{3} \times \square$

세 번째로 공이 튀어 오른 높이가 16 cm이므로

$\frac{2}{3} \times \frac{2}{3} \times \frac{2}{3} \times \square = 16$, $\frac{8}{27} \times \square = 16$,

$\square = \overset{2}{16} \times \frac{27}{\underset{1}{8}} = 54(\text{cm})$

따라서 처음에 공을 떨어뜨린 높이는 54 cm입니다.

2 수학경시대회에 참가한 전체 학생 수를 □라 하여 식을 세웁니다.

(남학생 수)+(여학생 수)=(전체 학생 수)이므로

$\left(\square \times \frac{2}{3} + 32 \right) + \left(\square \times \frac{2}{7} + 8 \right) = \square$

$\square \times \frac{2}{3} + \square \times \frac{2}{7} + 40 = \square$, $\square \times \left(\frac{2}{3} + \frac{2}{7} \right) + 40 = \square$

> **보충 개념**
> $\blacksquare \times \bullet + \blacksquare \times \blacktriangle = \blacksquare \times (\bullet + \blacktriangle)$

$\square \times \frac{20}{21} + 40 = \square$, $40 = \square \times \frac{1}{21}$, $\square = 840(\text{명})$

따라서 수학경시대회에 참가한 학생은 모두 840명입니다.

> 양변에서 $\square \times \frac{20}{21}$ 을 빼면
> $\square \times \frac{20}{21} + 40 - \square \times \frac{20}{21} = \square - \square \times \frac{20}{21}$
> $40 = \square \times 1 - \square \times \frac{20}{21}$, $40 = \square \times \left(1 - \frac{20}{21} \right)$, $40 = \square \times \frac{1}{21}$

다른 풀이

여학생이 전체의 $\frac{2}{7}$ 보다 8명 많으므로 남학생은 전체의 $\frac{5}{7}$ 보다 8명이 더 적다고 할 수 있습니다.

$\square \times \frac{2}{3} + 32 = \square \times \frac{5}{7} - 8$, $32 + 8 = \square \times \frac{5}{7} - \square \times \frac{2}{3}$, $\square \times \left(\frac{5}{7} - \frac{2}{3} \right) = 40$

$\square \times \frac{1}{21} = 40$, $\square = 840(\text{명})$

최상위 사고력 그림을 그려 생각해 봅니다.

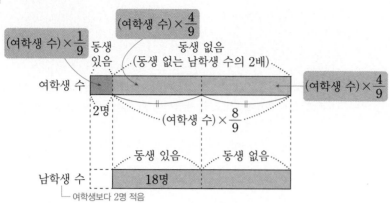

여학생 수를 □라 하면 $□×\frac{1}{9}+□×\frac{4}{9}=2+18$이므로

$□×\left(\frac{1}{9}+\frac{4}{9}\right)=20$, $□×\frac{5}{9}=20$, $□=20×\frac{9}{5}=36$(명)

따라서 여학생 수는 36명이고 남학생 수는 $36-2=34$(명)이므로

전체 학생 수는 $36+34=70$(명)입니다.

3-3. 역사 속 분수 문제

1 315마리

최상위 사고력 A 84살

2 28명

최상위 사고력 B 8일

저자 톡! 분수는 지금과 표현만 다르게 했을 뿐 우리가 생각하는 것보다 아주 오래 전부터 사용되고 있었습니다. 피타고라스, 디오판토스와 같은 수학자와 관련된 분수 문제들을 접해 보며 분수와 친숙해지고, 문제 해결을 통해 수학에 대해 자신감을 얻을 수 있도록 합니다.

1 전체 소를 □라고 하여 식을 세워 풀어 봅니다.

$□×\frac{1}{3}×\frac{2}{3}=70$

$□=70÷\frac{1}{3}÷\frac{2}{3}=\overset{35}{70}×3×\frac{3}{\underset{1}{2}}=315$(마리)

따라서 목동이 가지고 있는 소는 모두 315마리입니다.

2 피타고라스의 전체 제자의 수를 □라고 하여 식을 세워 풀어 봅니다.

$□×\frac{1}{2}+□×\frac{1}{4}+□×\frac{1}{7}+3=□$, $□×\left(\frac{1}{2}+\frac{1}{4}+\frac{1}{7}\right)+3=□$

$□×\frac{25}{28}+3=□$, $□×\frac{3}{28}=3$, $□=28$(명)

따라서 피타고라스의 제자의 수는 모두 28명입니다.

> **보충 개념**
> ■×▲+■×●+■×★
> =■×(▲+●+★)

최상위 사고력 A 디오판토스가 죽었을 때의 나이를 □라고 하여 식을 세워 풀어 봅니다.

$\frac{1}{6}×□+\frac{1}{12}×□+\frac{1}{7}×□+5+\frac{1}{2}×□+4=□$

최상위 사고력 6B **24**

$$\left(\frac{1}{6}+\frac{1}{12}+\frac{1}{7}+\frac{1}{2}\right)\times\square+5+4=\square$$

$$\frac{75}{84}\times\square+9=\square,\ \frac{9}{84}\times\square=9,\ \square=84(살)$$

따라서 디오판토스는 84살까지 살았습니다.

굴 밖에서 뱀의 몸이 하루에 몇 m씩 보이지 않게 되는지 구합니다.

(하루에 뱀이 굴속으로 들어가는 길이)$=7\frac{1}{2}\div\frac{5}{14}=\frac{\overset{3}{\cancel{15}}}{\underset{1}{\cancel{2}}}\times\frac{\overset{7}{\cancel{14}}}{\underset{1}{\cancel{5}}}=21(m)$

(하루에 자라는 뱀의 꼬리의 길이)$=2\frac{3}{4}\div\frac{1}{4}=\frac{11}{\underset{1}{\cancel{4}}}\times\overset{1}{\cancel{4}}=11(m)$

굴 밖에서 뱀은 하루에 $21-11=10(m)$씩 보이지 않게 됩니다.

따라서 뱀이 굴속으로 완전히 들어가려면 $80\div10=8(일)$이 걸립니다.

> **해결 전략**
> 하루 동안 굴속으로 들어가는 길이와 뱀 꼬리가 자라는 길이를 각각 구해 봅니다.

최상위 사고력

1 예

2	$\frac{1\times2+4}{3}$	6	$\frac{4\times3}{1\times2}$
3	$\frac{4+3-1}{2}$	7	$\frac{4+3}{2-1}$
4	$\frac{4+3+1}{2}$	12	$\frac{3\times4}{2-1}$

2 예 $\frac{8888}{8888}=1,\ \frac{88}{88}\times\frac{88}{88}=1,\ \frac{88}{88}\div\frac{88}{88}=1,\ \frac{8}{8}\times\frac{8}{8}\times\frac{8}{8}\times\frac{8}{8}=1,\ \frac{8}{8}\div\frac{8}{8}\div\frac{8}{8}\div\frac{8}{8}=1,\ \frac{888}{888}\times\frac{8}{8}=1$

3 1

4 420쪽

---

1 이외에도 여러 가지 답이 있습니다.

$\frac{4+2}{3\times1}=2,\ \frac{4+2}{3-1}=3,\ \frac{4\times3}{2+1}=4,\ \frac{4\times3\times1}{2}=6$

2 이외에도 여러 가지 답이 있습니다.

$\frac{8}{8}\div\frac{888}{888}=1,\ \frac{8}{8}+\frac{8}{8}-\frac{88}{88}=1,\ \frac{8}{888}\div\frac{8}{888}=1,$

$\frac{88}{88}-\frac{8}{8}+\frac{8}{8}=1,\ \frac{8}{8}\times\left(\frac{8}{8}-\frac{8}{8}\right)+\frac{8}{8}=1$

3 (400에서 400의 $\frac{1}{2}$을 빼고 남은 수)

$=400\times\left(1-\frac{1}{2}\right)=400\times\frac{1}{2}$

> **해결 전략**
> 약분을 이용할 수 있도록 식을 세워 봅니다.

$(400 \times \dfrac{1}{2}$에서 $400 \times \dfrac{1}{2}$의 $\dfrac{1}{3}$을 빼고 남은 수$)$

$= 400 \times \dfrac{1}{2} \times \left(1 - \dfrac{1}{3}\right) = 400 \times \dfrac{1}{2} \times \dfrac{2}{3}$

이와 같은 방법으로 식을 세워 계산합니다.

$400 \times \left(1 - \dfrac{1}{2}\right) \times \left(1 - \dfrac{1}{3}\right) \times \left(1 - \dfrac{1}{4}\right) \times \cdots\cdots \times \left(1 - \dfrac{1}{400}\right)$

$= 400 \times \dfrac{1}{\underset{1}{2}} \times \dfrac{\overset{1}{2}}{\underset{1}{3}} \times \dfrac{\overset{1}{3}}{\underset{1}{4}} \times \cdots\cdots \times \dfrac{398}{\underset{1}{399}} \times \dfrac{\overset{1}{399}}{400}$

$= 400 \times \dfrac{1}{400} = 1$

4 전체 책의 쪽수를 $\square$로 놓으면

해결 전략
전체 책의 쪽수를 $\square$로 놓고, 첫째 날, 둘째 날, 셋째 날에 읽은 책의 쪽수를 $\square$로 나타냅니다.

(첫째 날 읽은 쪽수)$= \square \times \dfrac{2}{3} - 88$

(둘째 날 읽은 쪽수)$= \square \times \dfrac{1}{5}$

(셋째 날 읽은 쪽수)$= \left(\square \times \dfrac{2}{3} - 88\right) \times \dfrac{3}{4}$

3일 동안 책을 전부 읽었으므로 (3일 동안 읽은 책의 쪽수)$=$(전체 책의 쪽수)

$\left(\square \times \dfrac{2}{3} - 88\right) + \square \times \dfrac{1}{5} + \left(\square \times \dfrac{2}{3} - 88\right) \times \dfrac{3}{4} = \square$

$\square \times \dfrac{2}{3} - 88 + \square \times \dfrac{1}{5} + \square \times \dfrac{\overset{1}{2}}{\underset{1}{3}} \times \dfrac{\overset{1}{3}}{\underset{2}{4}} - \overset{22}{88} \times \dfrac{3}{\underset{1}{4}} = \square$

$\square \times \dfrac{2}{3} + \square \times \dfrac{1}{5} + \square \times \dfrac{1}{2} - 88 - 66 = \square$

$\square \times \left(\dfrac{2}{3} + \dfrac{1}{5} + \dfrac{1}{2}\right) - 154 = \square$

$\square \times \dfrac{41}{30} - 154 = \square,\ \square \times \dfrac{41}{30} - \square = 154,\ \square \times \dfrac{11}{30} = 154,\ \square = 420$(쪽)

따라서 민수가 읽은 책의 쪽수는 모두 420쪽입니다.

Review⏐ 연산

|34~36쪽

1 (1) 4909.95 (2) 212.1 (3) 1.48 (4) 88887111.12 (5) 2001.004

2 예

10	$\dfrac{99}{99} + 9$	17	$\dfrac{9 \times 9 - 9}{9} + 9$
11	$\dfrac{99}{9} + 9 - 9$	19	$\dfrac{99 - 9}{9} + 9$
12	$\dfrac{99}{9} + \dfrac{9}{9}$	20	$\dfrac{9 + 9}{9} + 9 + 9$

3 160개

4 (1) $1\dfrac{9}{10}$ (2) 15

5 729

1 (1) $145.55+245.55+345.55+\cdots+945.55$

$\qquad =(100+200+300+\cdots+900)+45\times9+0.55\times9$

$\qquad =4500+405+4.95$

$\qquad =4909.95$

해결 전략

반복되는 수의 합은 곱셈식으로 간단히 나타냅니다.

(2) $84.84\times2.5=(21.21\times4)\times2.5$

$\qquad\qquad\qquad =21.21\times(4\times2.5)$

$\qquad\qquad\qquad =21.21\times10$

$\qquad\qquad\qquad =212.1$

해결 전략

$4\times2.5=10$을 이용합니다.

(3) $0.99-0.01+0.02-0.03+0.04-\cdots-0.97+0.98$

$\qquad =0.99+(0.02-0.01)+(0.04-0.03)+\cdots+(0.98-0.97)$

$\qquad =0.99+0.01\times49$

$\qquad =0.99+0.49=1.48$

해결 전략

괄호를 이용합니다.

$-0.01+0.02-0.03+0.04$

$=(0.02-0.01)+(0.04-0.03)$

(4) $8888.8\times9999.9=8888.8\times(10000-0.1)$

$\qquad\qquad\qquad\quad =88888000-888.88$

$\qquad\qquad\qquad\quad =88887111.12$

해결 전략

$9999.9=10000-0.1$

(5) $2002\times0.999+2003\times0.998-2004\times0.997$

$\qquad =2002\times(1-0.001)+2003\times(1-0.002)$

$\qquad \quad -2004\times(1-0.003)$

$\qquad =2002-2.002+2003-4.006-2004+6.012$

$\qquad =2002+2003-2004+6.012-2.002-4.006$

$\qquad =2001+0.004=2001.004$

해결 전략

$0.999=1-0.001$

보충 개념

$■\times(●-▲)=■\times●-■\times▲$

2 이외에도 여러 가지 답이 있습니다.

$\dfrac{99}{9}-\dfrac{9}{9}=10,\ 9\times\dfrac{9}{9}+\dfrac{9}{9}=10,\ 9+\dfrac{9}{9}+\dfrac{9}{9}=11,\ \dfrac{9\times9+9+9}{9}=11,$

$9+\dfrac{9+9+9}{9}=12,\ \dfrac{9\times9+9}{9}+9=19$

3 전체 사과의 수를 □로 놓으면

(썩지 않은 사과의 수)$=□\times\dfrac{2}{5}+48$

(썩은 사과의 수)$=□\times\dfrac{1}{4}+8$

썩지 않은 사과의 수와 썩은 사과의 수의 합이 전체 사과의 수이므로

$□\times\dfrac{2}{5}+48+□\times\dfrac{1}{4}+8=□,\ □\times\left(\dfrac{2}{5}+\dfrac{1}{4}\right)+48+8=□$

$□\times\dfrac{13}{20}+56=□,\ □\times\left(1-\dfrac{13}{20}\right)=56,\ □\times\dfrac{7}{20}=56,\ □=160$(개)

따라서 이 과일 가게에 있는 사과는 모두 160개입니다.

해결 전략

전체 사과의 수를 □로 놓고 썩지 않은 사과의 수, 썩은 사과의 수를 □로 나타냅니다.

다른 풀이
썩은 사과가 전체의 $\frac{1}{4}$보다 8개 더 많으므로 썩지 않은 사과는 전체의 $\frac{3}{4}$보다 8개 더 적습니다.

즉, $\square \times \frac{2}{5} + 48 = \square \times \frac{3}{4} - 8$, $48 + 8 = \square \times \frac{3}{4} - \square \times \frac{2}{5}$, $56 = \square \times \left(\frac{3}{4} - \frac{2}{5}\right)$

$\square \times \frac{7}{20} = 56$, $\square = 160$(개)

4 (1) $2\frac{1}{3} - \frac{7}{12} + \frac{9}{20} - \frac{11}{30} + \frac{13}{42} - \frac{15}{56} + \frac{17}{72} - \frac{19}{90}$

해결 전략
$\frac{\bigcirc + \bigcirc}{\bigcirc \times \bigcirc} = \frac{1}{\bigcirc} + \frac{1}{\bigcirc}$을 이용합니다.

$= \left(2 + \frac{1}{3}\right) - \left(\frac{1}{3} + \frac{1}{4}\right) + \left(\frac{1}{4} + \frac{1}{5}\right) - \left(\frac{1}{5} + \frac{1}{6}\right) + \left(\frac{1}{6} + \frac{1}{7}\right)$

$\quad - \left(\frac{1}{7} + \frac{1}{8}\right) + \left(\frac{1}{8} + \frac{1}{9}\right) - \left(\frac{1}{9} + \frac{1}{10}\right)$

$= 2 + \frac{1}{3} - \frac{1}{3} - \frac{1}{4} + \frac{1}{4} + \frac{1}{5} - \frac{1}{5} - \frac{1}{6} + \frac{1}{6} + \frac{1}{7} - \frac{1}{7} - \frac{1}{8} + \frac{1}{8} + \frac{1}{9} - \frac{1}{9} - \frac{1}{10}$

$= 2 - \frac{1}{10} = \frac{19}{10} = 1\frac{9}{10}$

(2) $3\frac{3}{7} \times \left(1 + \frac{1}{2} + \frac{1}{3} + \frac{1}{4} + \frac{1}{5} + \frac{1}{6} + \frac{1}{7} + \frac{1}{8} + 1\frac{23}{35}\right)$

해결 전략
분모가 24의 약수인 단위분수끼리, 24의 약수가 아닌 단위분수끼리 묶어서 생각해 봅니다.

$= \frac{24}{7} \times \left(\left(1 + \frac{1}{2} + \frac{1}{3} + \frac{1}{4} + \frac{1}{6} + \frac{1}{8}\right) + \left(\frac{1}{5} + \frac{1}{7} + 1\frac{23}{35}\right)\right)$

$= \frac{24}{7} \times \left(1 + \frac{1}{2} + \frac{1}{3} + \frac{1}{4} + \frac{1}{6} + \frac{1}{8}\right) + \frac{24}{7} \times \left(\frac{1}{5} + \frac{1}{7} + 1\frac{23}{35}\right)$

$= \frac{24}{7} \times 1 + \frac{\overset{12}{24}}{7} \times \frac{1}{\underset{1}{2}} + \frac{\overset{8}{24}}{7} \times \frac{1}{\underset{1}{3}} + \frac{\overset{6}{24}}{7} \times \frac{1}{\underset{1}{4}} + \frac{\overset{4}{24}}{7} \times \frac{1}{\underset{1}{6}} + \frac{\overset{3}{24}}{7} \times \frac{1}{\underset{1}{8}} + \frac{24}{7} \times \left(\frac{7}{35} + \frac{5}{35} + 1\frac{23}{35}\right)$

$= \frac{24 + 12 + 8 + 6 + 4 + 3}{7} + \frac{24}{7} \times 2 = \frac{57}{7} + \frac{48}{7} = \frac{105}{7} = 15$

5 괄호 안의 더하는 수는 3배씩 커지는 규칙이 있습니다.

$A = \frac{1}{243} + \frac{1}{81} + \frac{1}{27} + \frac{1}{9} + \cdots\cdots + 81 + 243 (\cdots\cdots \bigcirc)$으로 놓고

해결 전략
괄호 안의 식을 A로 양변에 3을 곱한 식을 B로 놓고 두 식의 양변을 각각 뺍니다.

등식의 양변에 3을 곱하면

$3 \times A = \frac{1}{81} + \frac{1}{27} + \cdots\cdots + 243 + 729 (\cdots\cdots \bigcirc\!\!\!\!\bigcirc)$

$\bigcirc\!\!\!\!\bigcirc - \bigcirc$을 하면

$3 \times A - A = \frac{1}{81} + \frac{1}{27} + \cdots\cdots + 243 + 729 - \left(\frac{1}{243} + \frac{1}{81} + \frac{1}{27} + \cdots\cdots + 81 + 243\right)$

$2 \times A = 729 - \frac{1}{243}$

$2 \times A + \frac{1}{243} = 729$

따라서 $\left(\frac{1}{243} + \frac{1}{81} + \frac{1}{27} + \cdots\cdots + 243\right) \times 2 + \frac{1}{243} = 729$입니다.

Ⅱ 도형(1)

공간감각은 실생활에서 필요한 기본적인 능력일 뿐 아니라 도형과 도형의 관계 및 성질을 학습하는데 중요한 요소입니다. 쌓기나무로 쌓은 모양을 보고 위, 앞, 옆에서 본 모양을 그려 보는 활동과 위, 앞, 옆에서 본 모양을 보고 쌓기나무로 쌓았을 때의 모양을 유추해 보는 것은 공간감각을 측정하는 대표적인 유형입니다.

4 쌓은 모양을 위, 앞, 옆에서 본 모양에서는 쌓기나무, 투명 정육면체, 색깔 블록 등을 다양하게 쌓아보며 위, 앞, 옆에서 보았을 때 어떻게 보이는지 알아봅니다.

5 쌓기나무의 개수와 가짓수에서는 쌓기나무로 쌓은 모양을 위, 앞, 옆에서 본 모양을 보고 쌓기나무 몇 개를 사용하여 쌓았는지 알아봅니다. 한 가지 방법으로만 쌓을 수 있는 모양도 있지만 그 가짓수가 여러 개인 경우도 있으므로 유의하여 빠짐없이 세어 봅니다.

6 쌓기나무의 겉넓이에서는 복잡한 모양으로 쌓인 입체도형의 겉넓이를 위, 앞, 옆에서 본 모양과 관련지어 해결합니다.

이 단원에서 다루는 문제들은 쌓기나무를 주제로 한 최고난도의 문제들입니다. 따라서 문제를 해결하는 과정에서 머릿속으로 쌓기나무를 쌓고 해체하는 연습을 반복하다보면 자연스럽게 공간감각이 향상될 것입니다.

최상위 사고력 **4** **쌓은 모양을 위, 앞, 옆에서 본 모양**

4-1. 쌓기나무를 여러 방향에서 본 모양   38~39쪽

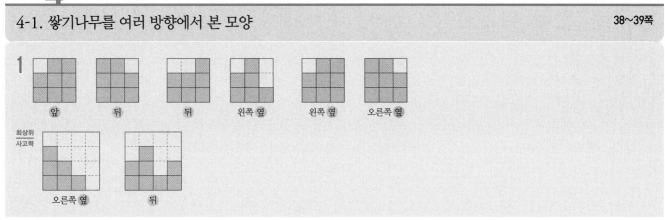

저자 톡! 쌓기표를 이용하면 사용한 쌓기나무의 개수와 쌓은 모양을 정확히 알 수 있어 쌓기나무에서 유용하게 사용됩니다. 이 단원에서는 쌓기표를 보고 쌓은 모양이 앞, 뒤, 왼쪽 옆, 오른쪽 옆, 위의 여러 방향에서 어떻게 보이는지 예상하여 그려 봅니다.

---

1 바라보는 방향에서 가장 높은 층의 쌓기나무가 있는 층까지 색칠합니다.
왼쪽 옆과 오른쪽 옆, 앞과 뒤는 각각 서로 대칭입니다.

최상위 사고력 ① 처음 쌓기나무로 쌓은 모양의 쌓기표를 그립니다.

		2	3
2	1	1	2
1			

> **해결 전략**
> 처음 모양을 시계 방향으로 90°씩 4번 돌리면 다시 처음과 같은 모양이 됩니다.

② 처음 모양을 시계 방향으로 90°씩 4번 돌리면 다시 처음과 같은 모양이 됩니다. 따라서 50번 돌리면 50÷4＝12…2이므로 시계 방향으로 90°씩 2번 돌린 것과 같습니다.

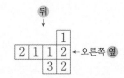

③ 쌓기표를 보고 오른쪽 옆에서 본 모양과 뒤에서 본 모양을 각각 그립니다.

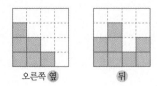

4-2. 투명 정육면체

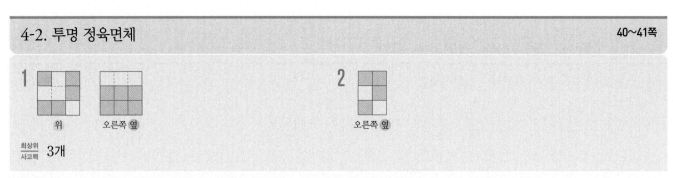

최상위
사고력 3개

저자 톡! 이 단원에서는 투명 정육면체와 색칠된 정육면체 두 종류를 이용하여 쌓은 모양을 여러 가지 방향에서 보았을 때 어떻게 보이는지 학습합니다. 또한 모든 방향이 아닌 일부분에서 본 모양만으로 정육면체를 어떻게 쌓았는지도 추론해 봅니다.

1 보는 방향에서 색칠된 정육면체가 한 개라도 있으면 그 칸은 색칠이 되어야 하고, 색칠된 정육면체가 한 개도 없으면 그 칸은 색칠이 되지 않습니다.

2 ① 정육면체 18개로 만든 직육면체 모양은 오른쪽 그림과 같습니다.

해결 전략
위에서 본 모양으로 색칠된 정육면체가 놓여 있지 않은 줄을 찾을 수 있습니다.

② 위에서 본 모양에서 색칠이 되지 않은 칸에는 색칠된 정육면체가 들어가지 않으므로 ×표 합니다.

③ 위에서 본 모양에 앞에서 봤을 때 색칠된 정육면체가 놓인 층수를 씁니다.

①, ③

④ 색칠된 정육면체가 있는 층수를 생각하여 오른쪽 옆에서 본 모양을 알맞게 그립니다.

정육면체 8개로 쌓아 만든 모양의 위, 앞, 오른쪽 옆에서 본 모양이 모두

로 같으려면 다음과 같이 쌓아야 합니다.

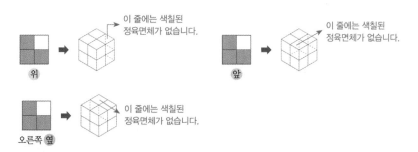

따라서 색칠된 정육면체는 다음과 같이 최소 3개가 놓이는 것을 알 수 있습니다.

색칠된 정육면체가 있어도 되고 없어도 됩니다.

4-3. 여러 가지 블록으로 만든 모양의 위, 앞, 옆
42~43쪽

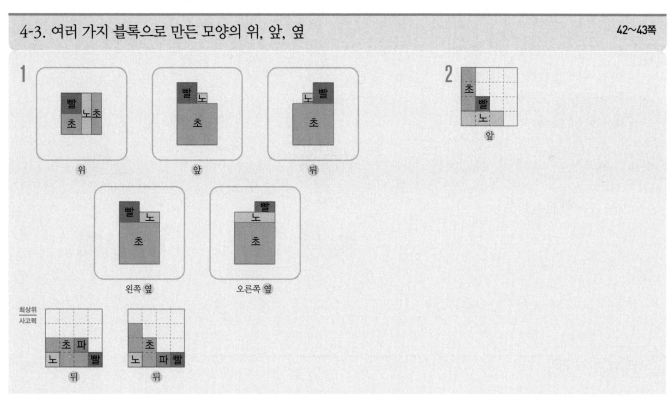

저자 톡! 이 단원에서는 크기와 모양이 다른 색깔 블록 여러 개를 쌓아 만든 모양을 위, 앞, 옆에서 보았을 때 어떻게 보이는지 알아봅니다. 또한 위, 앞, 옆에서 본 모양 중 일부분의 모양을 보고 다른 쪽에서 본 모양을 추론합니다.

1 앞과 뒤에서 본 모양과 왼쪽 옆과 오른쪽 옆에서 본 모양은 각각 서로 대칭입니다.
특히 왼쪽 옆과 오른쪽 옆에서 본 모양에서 빨간색 블록과 노란색 블록은 서로 가려져 보이지 않는 부분이 있으므로 주의합니다.

2 ① 위에서 본 모양을 보면 4칸짜리 초록색 블록은 옆으로 길게 놓여있을
수 없으므로 세워져 있습니다.

② 위와 오른쪽 옆에서 본 모양을 보면 노란색 블록은 옆으로 길게 놓여
있습니다.

③ 오른쪽 옆에서 본 모양을 보면 빨간색 블록은 2층에 있고 파란색 블
록은 1층에 있으므로 파란색 블록은 노란색 블록의 뒤에 있고, 빨간
색 블록은 파란색 블록의 위에 놓여 있습니다.

최상위 사고력 ① 빨간색 블록은 앞에 길게 놓여 있고, 초록색 블록과 노란색 블록의 관계를 이용하면 노란색 블록은 1층에 놓여 있습니다.

② 위에서 보면 노란색 블록 1칸은 초록색 블록에 가려져 보이지 않습니다.

③ 파란색 블록은 초록색 블록 옆에 있습니다.

또는

또는

최상위 사고력

44~45쪽

1
앞

2
왼쪽 옆

3 4가지

4
앞

1 정육면체 8개로 쌓아 만든 모양의 위에서 본 모양이 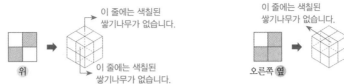, 오른쪽 옆에서 본 모양이 이려면 다음과 같이 쌓아야 합니다.

따라서 정육면체의 위에서 볼 때와 오른쪽 옆에서 볼 때 색칠된 정육면체가 공통적으로 없는 곳을 제외하면 앞에서 본 모양은 입니다.

2 다음과 같이 위에서 본 모양에 4층 → 3층 → 2층 → 1층 순서대로 수를 써넣어 쌓기표를 만든 후 왼쪽 옆에서 본 모양을 그립니다.

해결 전략
1층에서 본 모양은 쌓기나무로 쌓은 입체도형을 위에서 본 모양과 같습니다.

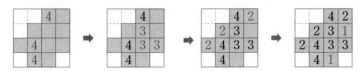

3 ① 노란색 블록이 놓일 수 있는 방법으로 가능한 것은 모두 4가지입니다.

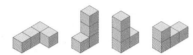

② 나머지 블록을 위에서 본 모양에 맞게 쌓으면 모두 7가지 방법으로 쌓을 수 있습니다.

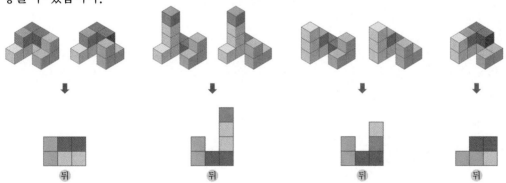

이 중에서 2가지 모양씩 세 쌍이 뒤에서 본 모양이 같으므로 뒤에서 본 서로 다른 모양은 모두 4가지입니다.

4 오른쪽 옆에서 본 모양에 5개의 블록이 모두 보입니다. 위에서 본 모양과 오른쪽 옆에서 본 모양을 동시에 관찰해 보며 ①~⑤의 블록이 어떻게 놓여있는지 생각해 봅니다.

해결 전략
오른쪽 옆에서 본 모양에는 5개의 블록이 모두 있지만 위에서 본 모양에는 4개의 블록만 보이므로 1개의 블록은 4개의 블록 아래에 갈려 있습니다.

따라서 앞에서 본 모양은 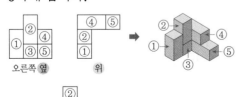 입니다.

5-1. 위, 앞, 옆에서 본 모양과 쌓기나무 개수

1 ⑤

2 15개

최상위
사고력 51개

저자 톡! 이 단원에서는 위, 앞, 옆에서 본 모양을 보고 쌓기나무 몇 개를 사용하여 모양을 만들었는지 알아봅니다. 이 단원에서 학습하는 내용은 다음 단원의 쌓기나무의 최대 개수와 최소 개수를 구하는 것과 직접적으로 연관되므로 개념을 익혀 충분히 연습합니다.

---

1 ▨ 모양이 앞이나 오른쪽 옆에서 본 모양이 되면 1층과 2층에 빈

공간이 생기게 되므로 세 번째 모양은 위에서 본 모양입니다.

위에서 본 모양이 ▨ 모양인 것은 ③, ⑤, ⑥입니다.

③, ⑤, ⑥ 중에서 ▨ 모양은 ⑤를 앞에서 볼 때 볼 수 있습니다.

따라서 ▨ 은 ⑤를 오른쪽 옆에서 본 모양입니다.

> **해결 전략**
> 위에서 본 모양으로 가능한 것이 무엇인지 먼저 생각해 봅니다.

> **참고**
> 보이지 않는 쌓기나무는 없으므로 ②, ④의
> 위에서 본 모양은 ▨ 입니다.

---

2 ① 위에서 본 모양의 앞과 오른쪽 옆에 앞에서 본 모양과 오른쪽 옆에서 본 모양의 개수를 씁니다.

② 쌓은 개수를 확실히 알 수 있는 칸에 수를 씁니다.

③ 나머지 칸에 알맞은 수를 씁니다.

따라서 필요한 쌓기나무는 모두 15개입니다.

최상위
사고력 ① 위에서 본 모양의 앞과 오른쪽 옆에 앞에서 본 모양과 오른쪽 옆에서 본 모양의 수를 씁니다.

② 쌓은 개수를 확실히 알 수 있는 칸에 수를 씁니다.

③ 나머지 칸에 알맞은 수를 씁니다.

위와 오른쪽 옆에서 본 모양으로 정육면체의 세로 방향으로 쌓기나무 4개가 쌓인 것을 알 수 있습니다.

따라서 정육면체를 만들려면 (가로)×(세로)×(높이)=4×4×4=64(개)가 필요하므로 더 필요한 쌓기나무는 64−13=51(개)입니다.

1 15개

2 15개

^{최상위}
사고력   최대: 13개, 최소: 8개

저자 톡! 이 단원에서는 앞에서 학습한 내용을 토대로 입체도형을 만들 때 사용한 쌓기나무의 최대 개수와 최소 개수를 구해 봅니다. 앞에서 학습한 내용과 비교해 보며 어떤 점이 다른지 차이점을 알 수 있도록 합니다.

1 ① 위에서 본 모양의 앞과 오른쪽 옆에 앞에서 본 모양과 오른쪽 옆에서 본 모양의 수를 씁니다.

② 쌓은 개수를 확실히 알 수 있는 칸에 수를 씁니다.

③ 나머지 칸에 앞과 오른쪽 옆에서 본 모양이 변하지 않도록 가장 큰 수를 씁니다.

   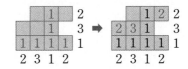

따라서 필요한 쌓기나무는 최대 15개입니다.

2 ① 위에서 본 모양의 앞과 오른쪽 옆에 앞에서 본 모양과 오른쪽 옆에서 본 모양의 수를 씁니다.

② 쌓은 개수를 확실히 알 수 있는 칸에 수를 씁니다.

③ 앞과 오른쪽 옆에서 보았을 때 같은 수가 보이는 칸을 먼저 채우고 나머지 칸에 1을 씁니다.

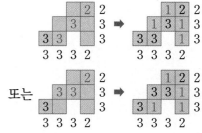

따라서 필요한 쌓기나무는 최소 15개입니다.

^{최상위}
사고력   ① 앞과 오른쪽 옆에서 본 모양으로 위에서 본 모양이 될 수 있는 가장 큰 모양을 예상하여 그립니다.

> **해결 전략**
> 위에서 본 모양이 될 수 있는 모양을 먼저 생각해 봅니다.

② 위에서 본 모양의 앞과 오른쪽 옆에 앞에서 본 모양과 오른쪽 옆에서 본 모양의 수를 씁니다.

③ 쌓기나무의 개수가 최대인 경우는 위에서 본 모양이 될 수 있는 가장 큰 모양에 쌓기나무가 모두 있으면서 앞과 오른쪽 옆에서 본 모양에 맞게 가장 높이 쌓인 경우입니다.

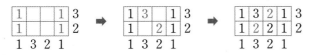

➡ 최대 13개

④ 쌓기나무의 개수가 최소인 경우는 위에서 본 모양이 최소 개수로 있어

야 하고 쌓기나무가 앞과 오른쪽 옆에서 본 모양에 맞게 가장 낮게 쌓

인 경우입니다.

➡ 최소 8개

따라서 사용한 쌓기나무는 최대 13개, 최소 8개입니다.

보충 개념

사용한 쌓기나무의 개수가 최소인 경우 위에서 본 모양을 생각할 때 3과 3, 2와 2가 만나는
두 칸은 꼭 필요합니다.

참고

다음과 같이 쌓인 경우는 앞과 오른쪽 옆에서 본 모양은 맞지만 면과 면이
맞닿게 쌓인 것이 아니므로 답이 아닙니다.

5-3. 쌓기나무로 쌓을 수 있는 모양의 가짓수

1 예 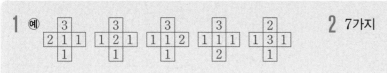   **2** 7가지

최상위
사고력 **17가지**

저자 톡! 서로 다른 개수의 쌓기나무를 사용하여 입체도형을 만들었더라도 위, 앞, 옆에서 보았을 때 보이는 모양은 같을 수 있습니다. 이 단
원의 문제를 해결할 때는 앞에서 학습한 쌓기나무의 최대 개수와 최소 개수를 구했던 방법을 사용하므로 문제가 한 번에 풀리지 않는 경우에는
5-2를 다시 한 번 복습합니다.

1 ① 3층으로 쌓을 수 있는 곳은 다음과 같습니다.

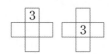

② 쌓기나무를 모두 8개 사용하므로 8−3=5(개)를 쌓기표의 빈 곳에 써넣어야 합니다.

빈 곳이 4칸이므로 4칸 중 한 칸에는 쌓기나무를 2층으로 쌓아야 합니다.

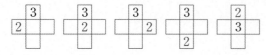

③ 나머지 칸을 1로 채웁니다.

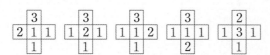

2 사용할 수 있는 쌓기나무의 최대 개수와 최소 개수를 구한 후 개수 별로 나누어 찾습니다.

① 위에서 본 모양의 앞과 오른쪽 옆에 앞에서 본 모양과 오른쪽 옆에서 본 모양의 수를 씁니다.

② 쌓은 개수를 확실히 알 수 있는 칸에 수를 씁니다.

③ 사용할 수 있는 쌓기나무의 최대, 최소 개수를 구합니다.

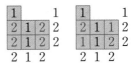

최대: 11개   최소: 9개

④ 쌓기나무 9개, 10개, 11개로 쌓은 경우를 각각 나누어 구합니다.

• 쌓기나무 9개로 쌓은 경우

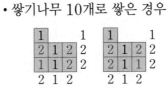

➡ 2가지

• 쌓기나무 10개로 쌓은 경우

➡ 4가지

• 쌓기나무 11개로 쌓은 경우

➡ 1가지

따라서 쌓기나무를 쌓는 서로 다른 방법은 모두 2＋4＋1＝7(가지)입니다.

최상위 사고력 ① 위에서 본 모양의 앞과 오른쪽 옆에 앞에서 본 모양과 오른쪽 옆에서 본 모양의 수를 씁니다.

> **해결 전략**
> 사용할 수 있는 쌓기나무의 최대 개수와 최소 개수를 먼저 구합니다.

② 사용할 수 있는 쌓기나무의 최대, 최소 개수를 구합니다.

최대: 12개   최소: 8개

③ 쌓기나무 8개, 9개, 10개, 11개, 12개로 쌓은 경우를 각각 나누어 구합니다.

• 쌓기나무 8개로 쌓은 경우

➡ 2가지

• 쌓기나무 9개로 쌓은 경우

➡ 4가지

• 쌓기나무 10개로 쌓은 경우

➡ 6가지

• 쌓기나무 11개로 쌓은 경우

➡ 4가지

• 쌓기나무 12개로 쌓은 경우

➡ 1가지

따라서 쌓기나무를 쌓는 서로 다른 방법은 모두 2＋4＋6＋4＋1＝17(가지)입니다.

1 4개   **2** 30

3 4가지   **4** 5가지

---

1 ① 쌓기나무 2개와 3개로 만들 수 있는 모양은 위, 앞, 오른쪽 옆에서 본 모양이 모두 똑같지 않습니다.

2개   3개

② 쌓기나무 4개로 만들 수 있는 모양은 다음과 같이 8가지입니다.

이 중에서 ▦은 위, 앞, 오른쪽 옆에서 본 모양이 모두 ▦ 모양으로 같고, ▦은 위, 앞, 오른쪽 옆에서 본 모양이 모두 ▭ 모양으로 같습니다.

따라서 위, 앞, 오른쪽 옆에서 본 모양을 모두 똑같게 만들려고 할 때 필요한 쌓기나무의 개수는 최소 4개입니다.

2 ① 위에서 본 모양의 앞과 오른쪽 옆에 앞에서 본 모양과 오른쪽 옆에서 본 모양의 수를 씁니다.

② 쌓은 개수를 확실히 알 수 있는 칸에 수를 씁니다.

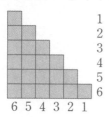   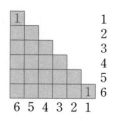

③ 사용할 수 있는 쌓기나무의 최대, 최소 개수를 각각 구합니다.

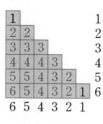   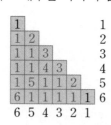

최대: 69개   최소: 39개

따라서 필요한 쌓기나무의 최대 개수와 최소 개수의 차는 69－39＝30입니다.

3 ① 위에서 본 모양의 앞과 오른쪽 옆에 앞에서 본 모양과 오른쪽 옆에서 본 모양의 수를 씁니다.

② 쌓은 개수를 확실히 알 수 있는 칸에 수를 씁니다.

③ 사용할 수 있는 쌓기나무의 개수가 최소가 되도록 여러 가지 방법으로 나머지 칸에 알맞은 수를 씁니다.

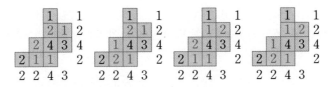

따라서 만드는 방법의 가짓수는 모두 4가지입니다.

4 ① 위에서 본 모양의 오른쪽 옆에 오른쪽 옆에서 본 모양의 수를 씁니다.

② 쌓은 개수를 확실히 알 수 있는 칸에 수를 씁니다.

③ → 3 3 , 1 3 , 3 1 이 가능하고

1 1
 1 1 → 2 2 , 1 2 , 2 1 이 가능합니다.

• 3 3 인 경우

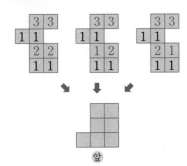

• 1 3 인 경우

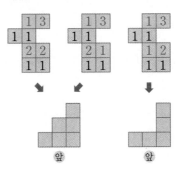

• 3 1 인 경우

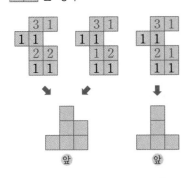

따라서 앞에서 본 서로 다른 모양은 모두 5가지입니다.

6-1. 복잡한 모양의 겉넓이

1 $90\,\text{cm}^2$

2 $192\,\text{cm}^2$

최상위 사고력 $576\,\text{cm}^3$

저자 톡! 쌓기나무의 겉넓이는 쌓기나무로 쌓은 모양의 겉에서 보이는 면의 넓이의 합을 말합니다. 쌓기나무가 직육면체가 아닌 복잡한 모양으로 쌓여있을 때 간단하게 겉넓이를 구하려면 **4 쌓은 모양을 위, 앞, 옆에서 본 모양**을 이용할 수 있어야 합니다.

1 위, 앞, 오른쪽 옆에서 보았을 때 보이는 면의 개수는 모두 15개로 같습니다.

해결 전략
위, 앞, 오른쪽 옆에서 본 모양의 면의 개수를 세어 간단히 구합니다.

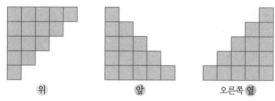

위   앞   오른쪽 옆

한 면의 넓이는 $1 \times 1 = 1(\text{cm}^2)$이고, 위, 앞, 오른쪽 옆에서 보았을 때 보이지 않는 면이 없으므로

(입체도형의 겉넓이)

=(위, 앞, 오른쪽 옆에서 보았을 때 보이는 면의 개수)×2

　×(한 면의 넓이)

　└─ 보이지 않는 면이 없으므로 위와 아래, 앞과 뒤, 오른쪽 옆과 왼쪽 옆에서 보이는 면의 개수가 같습니다. 따라서 2를 곱합니다.

=$(15+15+15) \times 2 \times 1 = 90(\text{cm}^2)$입니다.

2 ① 위, 앞, 오른쪽 옆에서 본 모양의 면의 개수를 세어 봅니다.

주의
겉넓이를 구할 때는 면의 개수를 직접 세어 구할 수도 있지만 쌓기나무를 많이 사용하여 쌓았거나 쌓은 모양이 복잡한 경우 빠뜨리거나 중복하여 셀 수 있으므로 위, 앞, 오른쪽 옆에서 본 모양을 이용하여 구합니다.

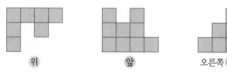

위   앞   오른쪽 옆

➡ (위, 앞, 오른쪽 옆에서 보았을 때 보이는 면의 개수)

　=$7+9+6=22$(개)

② 위, 앞, 오른쪽 옆에서 보았을 때 보이지 않는 면이 있으므로 보이지 않는 면의 개수를 세어 봅니다.

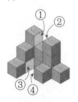

➡ (보이지 않는 면의 개수)=4(개)

③ 한 면의 넓이는 $2 \times 2 = 4(\text{cm}^2)$이므로

(입체도형의 겉넓이)

=(위, 앞, 오른쪽 옆에서 보았을 때 보이는 면의 개수)×2

　×(한 면의 넓이)+(보이지 않는 면의 개수)×(한 면의 넓이)

=$22 \times 2 \times 4 + 4 \times 4 = 192(\text{cm}^2)$입니다.

① 위, 앞, 오른쪽 옆에서 보았을 때 보이는 면의 개수를 세어 봅니다.

해결 전략
보이는 쌓기나무의 개수가 8개 이므로 숨어
있는 쌓기나무가 있습니다.

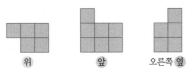

위   앞   오른쪽 옆

➡ (위, 앞, 오른쪽 옆에서 보았을 때 보이는 면의 개수)

　＝5＋7＋5＝17(개)

② 위, 앞, 오른쪽 옆에서 보았을 때 보이지 않는 면의 개수를 세어 봅니다.

➡ (보이지 않는 면의 개수)＝2(개)

③ (입체도형의 겉면의 개수)

　＝(위, 앞, 오른쪽 옆에서 보았을 때 보이는 면의 개수)×2

　　＋(보이지 않는 면의 개수)

　＝17×2＋2＝36(개)

④ 입체도형의 겉넓이가 $576\,cm^2$이므로

정육면체의 한 면의 넓이는 $576 \div 36 = 16(cm^2)$이고,

정육면체의 한 모서리의 길이는 $4\,cm$입니다.

따라서 정육면체 1개의 부피는 $4 \times 4 \times 4 = 64(cm^3)$이고, 정육면체

9개를 쌓아서 만든 도형이므로 부피는 $64 \times 9 = 576(cm^3)$입니다.

6-2. 겉넓이의 최대 · 최소

56~57쪽

1 $32\,cm^2$

2 최대: $54\,cm^2$, 최소: $46\,cm^2$

최대: $62\,cm^2$, 최소: $42\,cm^2$

저자 톡! 주어진 개수의 쌓기나무를 쌓아 모양을 만들 때 어떤 경우에 겉넓이가 최대, 또는 최소인지 알아봅니다. 쌓기나무를 이어 붙일 때 쌓기나무가 맞닿는 곳이 많을수록 겉넓이가 작아지고, 맞닿는 곳이 적을 수록 겉넓이가 커진다는 사실을 생각하며 문제를 해결합니다.

1 쌓기나무끼리 맞닿은 면의 수가 많을수록 입체도형의 겉넓이가 작습니다.

즉, 쌓기나무 12개를 다음과 같이 정육면체에 최대한 가깝게 쌓을 때 겉넓이가 최소가 됩니다.

(직육면체의 겉넓이)＝(위, 앞, 오른쪽 옆에서 보았을 때 보이는 면의 개수)×2×(한 면의 넓이)

　　　　＝$(6+6+4) \times 2 \times 1 = 32(cm^2)$

2 (처음 모양의 겉넓이)

$=$(위, 앞, 오른쪽 옆에서 보았을 때 보이는 면의 개수)$\times 2$

$\times$(한 면의 넓이)$+$(보이지 않는 면의 개수)$\times$(한 면의 넓이)

$=(8+8+6)\times 2\times 1+2\times 1=46(\text{cm}^2)$

해결 전략
맞닿는 면이 많을수록 겉넓이가 최소가 되고 맞닿는 면이 적을수록 겉넓이가 최대가 됩니다.

- 겉넓이가 최대인 경우 : 한 면만 맞닿게 쌓습니다.

  처음 모양에 쌓기나무 1개를 한 면만 맞닿게 쌓으면 한 면은 가려지고 다섯 면은 새로 생기므로 네 면이 더 생긴 것과 같습니다.

  따라서 쌓기나무 2개를 더 쌓았을 때 겉넓이는 $46+4\times 2\times 1=54(\text{cm}^2)$입니다.

- 겉넓이가 최소인 경우 : 세 면이 맞닿게 쌓습니다.

  처음 모양에 쌓기나무 1개를 세 면이 맞닿게 쌓으면 세 면은 가려지고 세 면이 새로 생기므로 늘어나거나 줄어드는 면이 없습니다.

  따라서 쌓기나무 2개를 더 쌓을 때 겉넓이는 처음과 같으므로 $46\,\text{cm}^2$입니다.

이외에도 쌓는 방법은 여러 가지가 있습니다.

최상위 사고력 (처음 모양의 겉넓이)

$=$(위, 앞, 오른쪽 옆에서 보았을 때 보이는 면의 개수)$\times 2\times$(한 면의 넓이)

$=(8+6+6)\times 2\times 1=40(\text{cm}^2)$

쌓기나무 13개에 5개를 더 쌓으면 쌓기나무는 모두 18개입니다.

- 겉넓이가 최대인 경우: 한 면만 맞닿게 쌓습니다.

  쌓기나무 1개를 한 면만 맞닿게 쌓을때마다 겉넓이는 $4\,\text{cm}^2$만큼 늘어납니다.

  따라서 쌓기나무 5개를 더 쌓을 때 겉넓이는 $42+4\times 5=62(\text{cm}^2)$입니다.

- 겉넓이가 최소인 경우: 정육면체에 가깝게 쌓습니다. 즉 (가로)$\times$(세로)$\times$(높이)$=2\times 2\times 3$일 때 겉넓이가 최소입니다.

  따라서 쌓기나무 5개를 더 쌓을 때 겉넓이는 $(9+6+6)\times 2=42(\text{cm}^2)$입니다.

이외에도 2층의 한 곳에 5개를 연속해서 쌓는 방법 등 여러 가지가 있습니다.

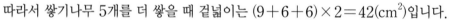

6-3. 변하지 않는 겉넓이

58~59쪽

1 (1) $4\,\text{cm}^2$ 줄어듭니다. (2) 변하지 않습니다. (3) $2\,\text{cm}^2$ 늘어납니다. (4) $2\,\text{cm}^2$ 줄어듭니다.

2 5개

최상위 사고력 12개

저자 톡! 이 단원에서는 주어진 입체도형에서 어떤 쌓기나무를 빼야 겉넓이가 변하지 않는지 학습해 봅니다. 또한 서로 다른 개수의 쌓기나무를 사용하였지만 쌓기나무의 겉넓이가 같은 경우를 알아봅니다.

1 색깔 쌓기나무를 한 개씩 **빼낼** 때 줄어드는 겉넓이와 늘어나는 겉넓이를 차례로 구합니다.

빼내는 쌓기나무	빨간색	파란색	노란색	초록색
줄어드는 겉넓이(cm^2)	5	3	2	4
늘어나는 겉넓이(cm^2)	1	3	4	2
겉넓이의 변화 (cm^2)	$4cm^2$ 줄어듭니다.	변하지 않습니다.	$2cm^2$ 늘어납니다.	$2cm^2$ 줄어듭니다.

2 세 면이 보이는 쌓기나무를 빼면 겉넓이가 변하지 않습니다.
겉넓이가 변하지 않게 쌓기나무를 다음과 같은 순서로 **빼내면** 쌓기나무를 최대 5개까지 **빼낼** 수 있습니다.

해결 전략
세 면이 보이는 쌓기나무를 빼면 줄어드는 겉면의 수와 늘어나는 겉면의 수가 각각 3개 이므로 겉넓이가 변하지 않습니다.

주의
색칠한 쌓기나무와 1층 꼭짓점의 쌓기나무를 빼면 2층에 쌓은 쌓기나무가 바닥에 붙어 있지 않아 모양이 흐트러지므로 뺄 수 없습니다.

1층 꼭짓점 부분 ↗

최상위 사고력 위, 앞, 오른쪽 옆에서 본 모양이 변하지 않도록 쌓기나무를 빼내야 겉넓이가 변하지 않습니다.

  ······

따라서 최대 12개까지 **빼낼** 수 있습니다.

보충 개념
① 위에서 본 모양이 변하지 않게 쌓기나무를 가장 많이 빼낼 때

➡ 앞, 오른쪽 옆에서 본 모양이 다릅니다.

② 위와 앞에서 본 모양이 변하지 않게 쌓기나무를 가장 많이 빼낼 때

➡ 오른쪽 옆에서 본 모양이 다릅니다.

최상위 사고력

1 부피: $440\,cm^3$, 겉넓이: $440\,cm^2$

2 4개

3 5가지

4 최대: 128개, 최소: 56개

---

1 ① 부피: 입체도형에 사용된 정육면체의 개수를 위에서부터 세어 보면

$1×1+2×2+3×3+4×4+5×5=55$(개)입니다.

(정육면체 1개의 부피)$=2×2×2=8(cm^3)$,

(입체도형의 부피)$=55×8=440(cm^3)$

② 겉넓이: 입체도형을 위에서 본 모양의 넓이는 면의 개수가

$5×5=25$(개)로 이루어진 도형의 넓이와 같습니다.

쌓기나무 한 면의 넓이는 $2×2=4(cm^2)$이므로 위, 앞, 오른쪽 옆에

서 보이는 면의 개수를 세어 겉넓이를 구하면 다음과 같습니다.

(입체도형의 겉넓이)

$=$(위, 앞, 오른쪽 옆에서 보이는 면의 개수)$×2×$(쌓기나무 한 면의 넓이)

$=(25+15+15)×2×4=440(cm^2)$

> **해결 전략**
> 겉넓이를 구할 때는 위, 앞, 오른쪽 옆에서 본 모양을 이용합니다.

---

2 1층에 있는 쌓기나무와 3층에 있는 쌓기나무는 뺄 수 없습니다.

2층에 있는 쌓기나무 중 위, 앞, 오른쪽 옆에서 보았을 때 처음 모양과 변하지 않도록 빼낼 수 있는 쌓기나무는 최대 4개입니다.

> **해결 전략**
> 세 면이 보이는 쌓기나무를 순서대로 빼면 겉넓이는 변하지 않습니다.

 — 다음 순서대로 빼면 세 면이
보이는 쌓기나무를 뺄 수 있습니다.

---

3 입체도형의 겉넓이는 맞닿은 곳이 적을수록 커지고, 맞닿은 곳이 많을수록 작아집니다.

(입체도형의 겉넓이)

$=$(쌓기나무 9개의 겉넓이의 합)$-$(맞닿은 곳의 면의 넓이의 합)

① 맞닿은 곳의 수: 8　　　　② 맞닿은 곳의 수: 9

> **해결 전략**
> 쌓기나무끼리 맞닿은 곳을 찾습니다.

$6×9-8×2=38(cm^2)$　　　$6×9-9×2=36(cm^2)$

③ 맞닿은 곳의 수: 10   ④ 맞닿은 곳의 수: 11

$6 \times 9 - 10 \times 2 = 34(\text{cm}^2)$ $6 \times 9 - 11 \times 2 = 32(\text{cm}^2)$

⑤ 맞닿은 곳의 수: 12

$6 \times 9 - 12 \times 2 = 30(\text{cm}^2)$

따라서 겉넓이가 다른 경우는 모두 5가지입니다.

4 쌓기나무로 만든 직육면체 모양의 겉면이 모두 64개입니다.
쌓기나무를 최대로 사용한 경우와 최소로 사용한 경우를 다음과 같이 각각 구할 수 있습니다.

① 최대로 사용한 경우: 가로 4개, 세로 4개, 높이 2개
  ➡ 사용된 쌓기나무의 개수: 32개

(빨간색이 색칠되지 않은 면의 개수)
　=(쌓기나무 32개의 면의 수)−(색칠된 면의 수)
　=$6 \times 32 - 64 = 128$(개)

② 최소로 사용한 경우: 가로 10개, 세로 2개, 높이 1개
  ➡ 사용된 쌓기나무의 개수: 20개

(빨간색이 색칠되지 않은 면의 개수)
　=(쌓기나무 20개의 면의 수)−(색칠된 면의 수)
　=$6 \times 20 - 64 = 56$(개)

따라서 빨간색이 색칠되지 않은 쌓기나무의 면의 개수는 최대 128개, 최소 56개입니다.

해결 전략
겉면의 수가 일정할 때 사용한 쌓기나무의 수는 정육면체 모양에 가까워질수록 많아집니다.

주의
다음과 같이 한 줄로 늘어놓은 모양으로는 색칠한 면이 64개가 되도록 만들 수 없습니다.

쌓기나무 15개: 색칠한 면은 62개입니다.
쌓기나무 16개: 색칠한 면은 66개입니다.

1

2 28개

3 45개

4 225cm²

5 88cm²

6 5가지

1 ① 앞과 옆에서 본 모양을 보면 초록색 블록은 옆으로 길게 놓여 있습니다.

② 노란색 블록은 초록색 블록 앞에 세워져 있고 빨간색 블록이 오른쪽 옆에 있습니다.

③ 파란색 블록은 앞으로 길게 놓여있습니다.

2 ① 최대인 경우

➡ 50개

② 최소인 경우

예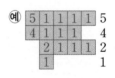

➡ 22개

따라서 사용한 쌓기나무의 최대 개수와 최소 개수의 차는
50−22=28(개)입니다.

3 ① 위, 앞, 오른쪽 옆에서 보았을 때 보이는 면의 개수를 세어 봅니다.

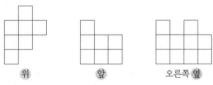

해결 전략
위, 앞, 오른쪽 옆에서 본 모양을 이용합니다.

➡ (위, 앞, 오른쪽 옆에서 보았을 때 보이는 면의 개수)
 =7+7+10=24(개)

② 앞과 오른쪽 옆에서 보았을 때 보이지 않는 면이 있으므로 보이지 않는 면의 개수를 세어 봅니다.

보이지 않는 면

➡ (보이지 않는 면의 개수)=4(개)

최상위 사고력 6B **46**

③ (바닥면을 제외한 겉면에서 보이는 쌓기나무의 면의 개수)

　＝(위, 앞, 오른쪽 옆에서 보았을 때 보이는 면의 개수)×2－(바닥면의 개수)

　　＋(보이지 않는 면의 개수)

　＝24×2－7＋4＝45(개)

4　위, 앞, 오른쪽 옆에서 보았을 때 보이는 모양을 이용하여 겉넓이를 구합니다.

　쌓기나무로 쌓은 모양을 위, 앞, 오른쪽 옆에서 본 모양은 각 단계에서 모두 한 가지로 같습니다.

도형	1번째	2번째	3번째	……	9번째
각 방향에서 본 모양의 넓이(cm²)	1	1+2	1+2+3	……	1+2+3+……+9

　따라서 9번째 입체도형의 바닥면을 제외한 겉넓이는

　$5×(1+2+3+……+9)=225(cm^2)$입니다.

5　① 위, 앞, 오른쪽 옆에서 보았을 때 보이는 면의 개수를 세어 봅니다.

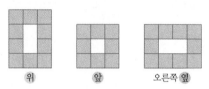

위　　　앞　　　오른쪽 옆

　　➡ (위, 앞, 오른쪽 옆에서 보았을 때 보이는 면의 개수)

　　　＝10＋8＋10＝28(개)

　② 구멍이 뚫린 부분은 위, 앞, 오른쪽 옆에서 보았을 때 보이지 않으므로 보이지 않는 면의 개수를 세어 봅니다.

　　➡ (보이지 않는 면의 개수)

　　　＝6×2＋4×2＋6×2＝32(개)

　③ 한 면의 넓이는 $1×1=1(cm^2)$이므로

　　(입체도형의 겉넓이)＝(위, 앞, 오른쪽 옆에서 보았을 때 보이는 면의 개수)×2×(한 면의 넓이)

　　　　　　　＋(보이지 않는 면의 개수)×(한 면의 넓이)

　　　　　　＝$28×2×1＋32×1=88(cm^2)$입니다.

다른 풀이

보이는 면이 4개인 쌓기나무는 모서리 부분이므로 16개이고, 보이는 면이 3개인 쌓기나무는 꼭짓점 부분이므로 8개입니다.
따라서 겉면은 모두
16×4＋8×3＝88(개)이고 한 면의 넓이는 $1×1=1(cm^2)$이므로 입체도형의 겉넓이는 $88×1=88(cm^2)$입니다.

6　① 위에서 본 모양의 앞쪽에 앞에서 본 모양의 수를 씁니다.

3　2　1

　② 쌓은 개수를 확실히 알 수 있는 칸에 수를 씁니다.

3　2　1

　③ 2가 쓰여 있는 줄에 가능한 경우의 수를 모두 씁니다.

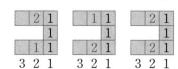

3　2　1　　3　2　1　　3　2　1

④ 가장 왼쪽 줄에는 적어도 3이 하나는 들어가야 합니다.

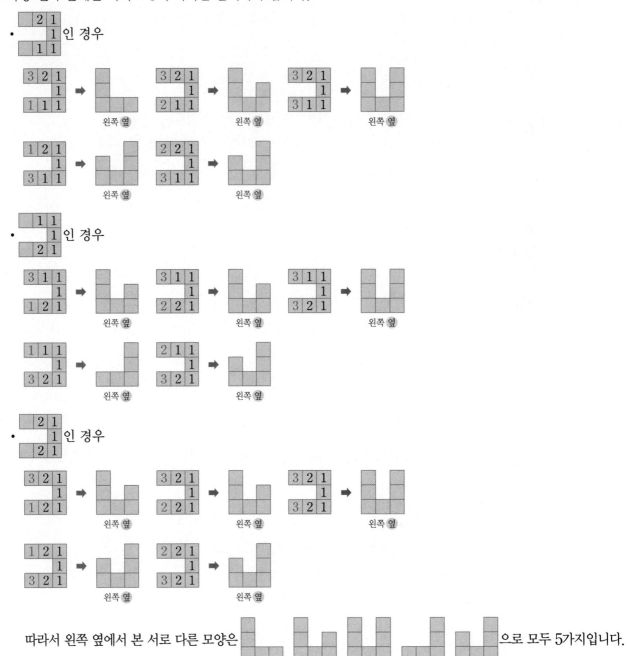

따라서 왼쪽 옆에서 본 서로 다른 모양은 ⌐ ⌐ ⌐ ⌐ ⌐ 으로 모두 5가지입니다.

Ⅲ 측정

지금까지 평면도형의 둘레와 넓이를 구할 때는 삼각형, 사각형 등 선분으로 둘러싸인 다각형을 대상으로 하였습니다. 이번 단원에서는 교과서에서 학습한 원을 주제로 하여 원 또는 원의 일부가 포함된 다양한 모양의 도형의 둘레와 넓이를 학습합니다.

7 원의 둘레에서는 교과서에서도 다루었던 원주율을 그 의미와 구하는 방법에 중점을 두어 다시 한번 짚어 보고, 원주율을 이용하여 원의 일부가 포함된 여러 가지 모양의 도형의 둘레를 구해 봅니다.

8 색칠한 부분의 넓이에서는 폭이 일정하지만 모양이 복잡한 길의 넓이를 간단히 구하는 방법을 알아보고, 도형에서 색칠한 부분의 넓이를 구할 때 보조선을 긋거나 도형을 자르고 옮기는 등의 방법을 이용해 봅니다.

앞의 **7**, **8**단원에서는 고정된 도형의 원의 둘레와 넓이를 구했다면 **9** 자취에서는 움직이는 도형의 둘레와 넓이를 구합니다. 머릿속으로만 생각하여 풀기에는 무리가 있으므로 직접 움직이는 경로를 그려서 문제를 해결해 봅니다. 원과 부채꼴은 중학교 1학년에서 넓이와 둘레에 관한 고난도 문제로 자주 출제되므로 본 책의 문제를 충분한 시간을 가지고 풀어 본 뒤에는 도형과 조건을 다양하게 변형해 다시 한 번 풀어 보는 것도 좋습니다.

최상위 사고력 **7** 원의 둘레

7-1. 원주율과 원의 둘레   66~67쪽

1 (1) 6, 8   (2) 6, 8, 3, 4   최상위
사고력
A **똑같이 늘어납니다.**   최상위
사고력
B **62.8 cm**

저자 톡! 고대 그리스 수학자 아르키메데스는 원의 둘레는 원의 내부에 꼭 맞는 정다각형의 둘레보다 길고, 원의 외부에 꼭 맞는 정다각형의 둘레보다 짧다는 원리를 이용하여 정다각형의 변의 수를 늘리는 방법(착출법)으로 원주율을 정확히 구하려 했습니다. 이 원리를 경험해 보고, 원의 지름과 둘레의 관계에 대해 알아봅니다.

---

1 (1) ① 정육각형의 둘레 구하기

원의 지름은 2 cm이므로 원의 반지름은 1 cm입니다.

정육각형은 6개의 정삼각형으로 나누어지고 정삼각형의 한 변의 길이는 원의 반지름과 같습니다.

나누어진 정삼각형의 한 변의 길이는 1 cm이므로 정육각형의 한 변의 길이도 1 cm입니다. 따라서 정육각형의 둘레는

$1 \times 6 = 6$(cm)입니다.

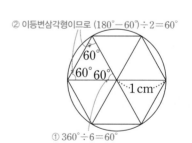

② 정사각형의 둘레 구하기

정사각형의 한 변의 길이는 2 cm이므로 둘레는 $2 \times 4 = 8$(cm)입니다.

(2) 지름이 2 cm이므로

$$\frac{6 \text{ cm}}{(지름)} < \frac{(원의 둘레)}{(지름)} < \frac{8 \text{ cm}}{(지름)} \Rightarrow \frac{6 \text{ cm}}{2 \text{ cm}} < (원주율) < \frac{8 \text{ cm}}{2 \text{ cm}} \Rightarrow 3 < (원주율) < 4$$

최상위
사고력
A (가 원의 늘어난 둘레)$=2\times(\bigcirc+2)\times3.14-2\times\bigcirc\times3.14$

$\qquad\qquad\qquad\qquad\quad\;=2\times(\bigcirc+2-\bigcirc)\times3.14$

$\qquad\qquad\qquad\qquad\quad\;=2\times2\times3.14$

$\qquad\qquad\qquad\qquad\quad\;=12.56(cm)$

$\qquad$(나 원의 늘어난 둘레)$=2\times(\bigcirc+2)\times3.14-2\times\bigcirc\times3.14$

$\qquad\qquad\qquad\qquad\quad\;=2\times(\bigcirc+2-\bigcirc)\times3.14$

$\qquad\qquad\qquad\qquad\quad\;=2\times2\times3.14$

$\qquad\qquad\qquad\qquad\quad\;=12.56(cm)$

따라서 두 원의 둘레는 똑같이 늘어납니다.

> **참고**
> 큰 원과 작은 원의 반지름이 똑같은 길이만
> 큼 늘어난다면 보통 큰 원의 둘레가 더 크게
> 늘어날 것으로 생각하기 쉽습니다. 그러나
> 원의 크기에 관계없이 늘어난 반지름의 길
> 이가 같으면 늘어난 원의 둘레도 같습니다.

최상위
사고력
B 큰 원 안에 있는 작은 원 3개의 지름을 왼쪽부터 $\bigcirc$ cm, $\bigcirc$ cm, $\bigcirc$ cm 라 하면

$\qquad$(작은 원의 둘레의 합)

$\qquad=\bigcirc\times3.14+\bigcirc\times3.14+\bigcirc\times3.14$

$\qquad=\underset{\underset{\text{큰 원의 지름}}{\longrightarrow}}{(\bigcirc+\bigcirc+\bigcirc)}\times3.14=10\times2\times3.14=62.8(cm)$

> **해결 전략**
> 작은 원 3개의 지름을 각각 $\bigcirc$ cm, $\bigcirc$ cm,
> $\bigcirc$ cm로 놓고 식을 세웁니다.

> **참고**
> 놓여 있는 모양에 관계없이 지름의 합이 같
> 으면 둘레도 같습니다.

7-2. 직선과 곡선이 있는 도형의 둘레 68~69쪽

1 18.2 cm	**2** 6.28 m	최상위 사고력 $\bigcirc$

저자 톡! 도형의 둘레를 구하는 문제들은 올록볼록한 부분이 많은 도형일수록 어려워 보일 수 있습니다. 이런 문제들은 먼저 직선과 곡선으로 나누어 길이를 구할 수 있는지 살펴보고 곡선과 직선이 어느 도형의 일부인지 파악한 뒤 원의 특징을 이용해 문제를 해결합니다.

1 초록색 선의 길이는 직사각형의 둘레와 같고 빨간색 선의 길이는 원의 둘레의 반과 같습니다.

$\quad$(색칠한 부분의 둘레)

$\quad=$(직사각형의 둘레)$+$(원의 둘레의 반)

$\quad=(2+4)\times2+2\times2\times3.1\div2=18.2(cm)$

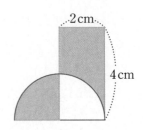

2 곡선 구간에서 바깥쪽 반원의 레인의 길이가 안쪽 반원의 레인의 길이보다 더 깁니다.

따라서 곡선 구간의 길이의 차만큼 바깥쪽 레인의 직선 구간의 길이는 더 짧아져야 합니다.

안쪽 반원의 반지름을 ㉠ m라 하면, 바깥쪽 반원의 반지름은 (㉠+2) m이므로 두 곡선 구간 길이의 차는

$((㉠+2) \times 2 \times 3.14 - ㉠ \times 2 \times 3.14) \div 2 = 6.28$ (m)

따라서 바깥쪽 레인의 출발점이 안쪽 레인의 출발점보다 6.28 m 앞에 있어야 합니다.

해결 전략
곡선 구간의 길이의 차만큼 앞에 있어야 합니다.

최상위 사고력 끈의 길이를 직선 부분과 곡선 부분으로 나누어 구해 봅니다.

㉠ 원 1개

(㉠ 끈의 길이)=(직선 부분의 길이)+(곡선 부분의 길이) → 원의 둘레
$= (10 \times 6 \times 2) + (20 \times 3.1)$
$= 120 + 62$
$= 182$ (cm)

㉡ 원 1개

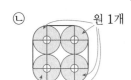

(㉡ 끈의 길이)=(직선 부분의 길이)+(곡선 부분의 길이)
$= (10 \times 2 \times 4) + (20 \times 3.1)$
$= 80 + 62$
$= 142$ (cm)

㉢

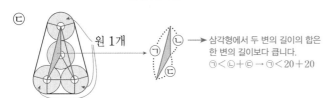

원 1개

삼각형에서 두 변의 길이의 합은 한 변의 길이보다 큽니다.
㉠<㉡+㉢ → ㉠<20+20

(㉢ 끈의 길이)=(직선 부분의 길이)+(곡선 부분의 길이)
$= (㉠ + ㉠ + 20) + (20 \times 3.1) < (㉡ + ㉢ + ㉡ + ㉢ + 20) + (20 \times 3.1)$
$\qquad\qquad = (20 + 20 + 20 + 20 + 20) + (20 \times 3.1)$
$\qquad\qquad = 100 + 62$
$\qquad\qquad = 162$ (cm)

따라서 ㉢ 끈의 길이는 162 cm보다 짧습니다.

해결 전략
끈을 자르고 붙여서 생각합니다.

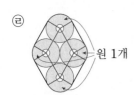

㉣

원 1개

(㉣ 끈의 길이)＝(직선 부분의 길이)＋(곡선 부분의 길이)

$$=(10\times 2\times 4)+(20\times 3.1)$$

$$=80+62$$

$$=142(\text{cm})$$

따라서 사용한 끈의 길이가 가장 긴 것은 ㉠입니다.

7-3. 부채꼴의 둘레

1 72 cm **2** 48 cm _{최상위
사고력} 18.56 cm

저자 톡! 앞 단원과 같이 곡선과 직선으로 이루어진 여러 가지 도형의 둘레를 구해 봅니다. 특히 앞에서는 원, 반원, 사분원 등 둘레를 쉽게 알 수 있는 도형을 다루었다면 이 단원에서는 다양한 중심각으로 이루어진 부채꼴의 호의 길이를 구합니다. 부채꼴의 호의 길이를 구하는 방법을 알아보고 이를 이용하여 여러 가지 도형의 둘레를 구해 보도록 합니다.

1 (색칠한 부분의 둘레)

＝(곡선 부분의 길이)＋(직선 부분의 길이)

$$=\left(36\times 2\times 3\times \frac{40°}{360°}+(36+9)\times 2\times 3\times \frac{40°}{360°}\right)+(9+9)$$

$$=24+30+18=72(\text{cm})$$

보충 개념

부채꼴: 원의 일부와 두 반지름으로 둘러싸 인 부채 모양의 도형

중심각: 부채꼴의 두 반지름이 이루는 각

호: 원 위의 두 점을 양 끝점으로 하는 원의 일부분인 곡선

중심각

호

부채꼴

해결 전략

(색칠한 부분의 둘레)

＝ 36 cm 40° ＋ 45 cm 40° ＋ 9 cm / 9 cm

2 정육각형의 한 각의 크기는 120°이므로 부채꼴 4개의 각각의 중심각의 크기는 180°−120°=60°입니다.

해결 전략
정육각형의 한 각의 크기는 120°입니다.
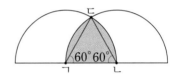

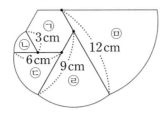

(도형의 둘레)=(정육각형 ㉠의 두 변의 길이)+(부채꼴 ㉡, ㉢, ㉣, ㉤의 호의 길이)+(부채꼴 ㉤의 반지름)

$$= 3 \times 2 + \left(3 \times 2 \times 3 \times \frac{60°}{360°} + 6 \times 2 \times 3 \times \frac{60°}{360°} + 9 \times 2 \times 3 \times \frac{60°}{360°} \right.$$
$$\left. + 12 \times 2 \times 3 \times \frac{60°}{360°} \right) + 12$$
$$= 6 + (3 + 6 + 9 + 12) + 12$$
$$= 6 + 30 + 12$$
$$= 48 \text{(cm)}$$

최상위 사고력 세 선분 ㄱㄴ, ㄴㄷ, ㄱㄷ은 모두 원의 반지름으로 길이가 같으므로 삼각형 ㄱㄴㄷ은 정삼각형입니다.

정삼각형의 한 각의 크기는 60°이므로 곡선 부분은 반지름이 6 cm이고 중심각의 크기가 60°인 부채꼴의 호의 길이입니다.

(색칠한 부분의 둘레)
=(직선 부분의 길이)+(곡선 부분의 길이)
=(선분 ㄱㄴ의 길이)+(반지름이 6 cm이고 중심각의 크기가 60°인 부채꼴의 호의 길이)×2

$$= 6 + 6 \times 2 \times 3.14 \times \frac{60°}{360°} \times 2$$
$$= 6 + 12.56$$
$$= 18.56 \text{(cm)}$$

│ 최상위 사고력 │

72~73쪽

1 73.6 cm   **2** 113.04 cm

3 244.8 cm   **4** 15 m, 30 m

1 색칠한 부분의 둘레는 지름이 24 cm인 반원과 반지름이 24 cm이고 중심각의 크기가 30°인 부채꼴의 일부로 이루어졌습니다.

(색칠한 부분의 둘레)=(반원의 곡선 부분의 길이)+(부채꼴의 반지름)+(부채꼴의 호의 길이)

$$=24 \times 3.1 \div 2 + 24 + 24 \times 2 \times 3.1 \times \frac{30°}{360°} = 73.6 \text{(cm)}$$

해결 전략
(색칠한 부분의 둘레)

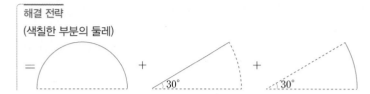

2 빨간 선으로 표시된 길이를 구하기 위해서는 부채꼴의 중심각의 크기를 알아야 합니다. 원의 중심을 선분으로 연결하면 정삼각형 2개를 붙인 마름모가 되어 중심각의 크기를 구할 수 있습니다.

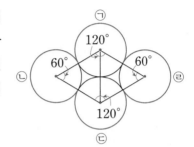

해결 전략
네 원의 중심을 서로 선분으로 연결해 봅니다.

(두 원 ㉠, ㉢의 빨간 선의 길이의 합)=(중심각의 크기가 240°인 부채꼴의 호의 길이)×2

$$=6 \times 2 \times 3.14 \times \frac{240°}{360°} \times 2 = 50.24 \text{(cm)}$$

(두 원 ㉡, ㉣의 빨간 선의 길이의 합)=(중심각의 크기가 300°인 부채꼴의 호의 길이)×2

$$=6 \times 2 \times 3.14 \times \frac{300°}{360°} \times 2 = 62.8 \text{(cm)}$$

따라서 (빨간 선으로 표시된 길이)=50.24+62.8=113.04(cm)입니다.

3 정사각형의 한 변의 길이는 원 4개의 지름과 같으므로 원의 지름은 24÷4=6(cm)입니다.
(색칠한 부분의 둘레)=(정사각형의 둘레)+(원 8개의 둘레)
$$=24 \times 4 + 6 \times 3.1 \times 8$$
$$=96 + 148.8$$
$$=244.8 \text{(cm)}$$

해결 전략

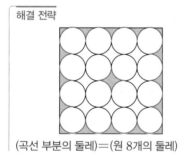

(곡선 부분의 둘레)=(원 8개의 둘레)

4 각 레인의 직선 거리는 같으므로 곡선 구간의 길이의 차만큼 출발선의 위치가 달라져야 합니다.
선화가 달리는 레인의 곡선 구간을 이루는 반원의 반지름을 ㉠이라고 하면, 수진이가 달리는 레인의 반지름은 (㉠+1), 소철이가 달리는 레인의 반지름은 (㉠+2)입니다.
(수진이가 달리는 레인의 곡선 구간의 길이)−(선화가 달리는 레인의 곡선 구간의 길이)
$$=(㉠+1) \times 2 \times 3 - ㉠ \times 2 \times 3 = 6 \text{(m)}$$
(소철이가 달리는 레인의 곡선 구간의 길이)−(선화가 달리는 레인의 곡선 구간의 길이)
$$=(㉠+2) \times 2 \times 3 - ㉠ \times 2 \times 3 = 12 \text{(m)}$$

해결 전략
레인은 직선 구간과 곡선 구간으로 이루어져 있고 각 레인의 직선 구간의 거리는 같고 바깥쪽 레인으로 갈수록 곡선 구간의 길이가 길어집니다.

또한 선화가 달리는 가장 안쪽 레인 한 바퀴 길이는 400 m이므로 트랙에서 1000 m를 달리기 위해서는
1000÷400＝2.5(바퀴) 돌아야 합니다.
따라서 수진이와 소철이의 출발선의 위치는 선화의 출발선보다 각각
$6 \times 2.5 = 15(m)$, $12 \times 2.5 = 30(m)$ 앞에 있어야 합니다.

최상위 사고력 8 색칠한 부분의 넓이

8-1. 폭이 일정한 길 모양의 도형의 넓이

74~75쪽

1 (1) 117.75 m² (2) 113.04 m²   **최상위 사고력** (1) 875 m² (2) 3175 m²

저자 톡! 단순한 모양의 길 모양 뿐만 아니라 복잡하게 생긴 길 모양의 도형의 넓이를 구하는 내용입니다. 부채꼴의 일부로 이루어진 길 모양의 도형의 넓이는 원 또는 부채꼴의 넓이를 구하는 공식을 이용해도 되지만 길 한가운데를 지나는 중앙선의 길이를 알고 이를 이용하면 매우 간단히 구할 수 있습니다.

1 (1) $20 \times 20 \times 3.14 \times \dfrac{45°}{360°} - 10 \times 10 \times 3.14 \times \dfrac{45°}{360°} = 157 - 39.25 = 117.75(m^2)$

(2) $12 \times 12 \times 3.14 \times \dfrac{120°}{360°} - 6 \times 6 \times 3.14 \times \dfrac{120°}{360°} = 150.72 - 37.68 = 113.04(m^2)$

보충 개념
폭이 일정한 길 모양의 도형에서 중앙선의 길이를 알면 (중앙선의 길이)×(폭의 길이)를 이용하여 도형의 넓이를 간단히 구할 수 있습니다.
(1) $\left((10+5) \times 2 \times 3.14 \times \dfrac{45°}{360°} \right) \times 10 = 11.775 \times 10 = 117.75(m^2)$
(2) $\left((6+3) \times 2 \times 3.14 \times \dfrac{120°}{360°} \right) \times 6 = 18.84 \times 6 = 113.04(m^2)$

최상위 사고력 폭이 일정한 길 모양의 도형의 넓이는
(길의 넓이)＝(중앙선의 길이)×(폭의 길이)를 이용하여 구합니다.

(1)
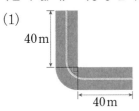

(중앙선의 길이)＝(직선 부분의 길이)＋(곡선 부분의 길이)

$= (40+40) + \left(5 \times 2 \times 3 \times \dfrac{90°}{360°} \right)$

$= 80 + \left(5 \times 2 \times 3 \times \dfrac{1}{4} \right)$

$= 80 + 7.5$

$= 87.5(m)$

(전체 도로의 넓이)＝(중앙선의 길이)×(폭의 길이)

$$=87.5×10$$

$$=87.5(\text{m}^2)$$

(2)

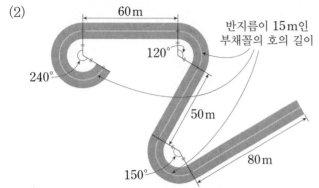

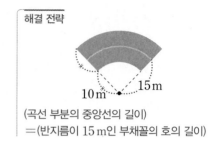

해결 전략

(곡선 부분의 중앙선의 길이)
＝(반지름이 15 m인 부채꼴의 호의 길이)

(중앙선의 길이)＝(직선 부분의 길이)＋(곡선 부분의 길이)

$$=(60+50+80)+\left(15×2×3×\frac{240°}{360°}+15×2×3×\frac{120°}{360°}\right.$$

$$\left.+15×2×3×\frac{150°}{360°}\right)$$

$$=190+\left(90×\frac{2}{3}+90×\frac{1}{3}+90×\frac{5}{12}\right)$$

$$=190+(60+30+37.5)$$

$$=190+127.5$$

$$=317.5(\text{m})$$

(전체 도로의 넓이)＝(중앙선의 길이)×(폭의 길이)

$$=317.5×10$$

$$=3175(\text{m}^2)$$

8-2. 색칠한 부분의 넓이(1)
76~77쪽

1 $3\,\text{cm}^2$ **2** $8\,\text{cm}^2$ 최상위 사고력 $12.28\,\text{cm}^2$

저자 톡! 복잡한 도형의 넓이를 구해 봅니다. 보이는 그대로의 도형의 넓이를 구하려 하지 말고, 도형을 움직이거나 보조선을 그어 자르고 붙이는 등 도형을 변형하면 도형의 넓이를 쉽게 구할 수 있습니다. 여러 가지 방법으로 문제를 해결하며 발상의 전환을 하는 훈련을 해 봅니다.

1 원의 내부의 작은 정삼각형을 시계 방향으로 180° 돌리면 색칠한 정삼각형은 큰 정삼각형의 $\dfrac{1}{4}$이 되는 것을 알 수 있습니다.

해결 전략
원의 내부의 작은 정삼각형의 꼭짓점이 큰 정삼각형의 변 위에 오도록 작은 정삼각형을 시계 방향으로 돌려 봅니다.

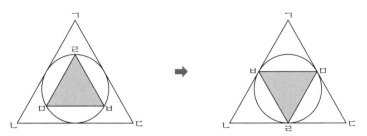

따라서 (정삼각형 ㄹㅁㅂ의 넓이)$=12 \times \dfrac{1}{4}=3(\text{cm}^2)$

2 2개의 반원이 겹친 부분을 반으로 나눈 다음 색칠한 부분의 움푹 들어간 두 곳에 붙이면 색칠한 부분의 넓이는 오른쪽 그림의 작은 정사각형의 넓이와 같습니다.

해결 전략
색칠한 부분을 잘라 옮겨 넓이를 구하기 쉬운 도형으로 만듭니다.

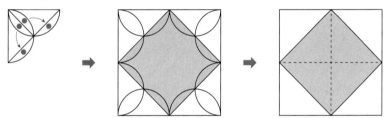

(색칠한 부분의 넓이)$=$(큰 정사각형의 넓이)$\div 2$
$\qquad\qquad\qquad\qquad = 4 \times 4 \div 2 = 8(\text{cm}^2)$

최상위 사고력 선분 ㄴㄷ을 그으면 왼쪽 그림과 같이 색칠한 부분이 2개로 나누어집니다. 이 중 한 부분을 오른쪽 그림과 같이 위쪽 반원의 빈 부분으로 옮겨 붙이면 색칠한 부분의 넓이는 크게 세 부분으로 나누어 구할 수 있습니다.

해결 전략
점 ㄴ과 정사각형의 왼쪽 아래에 있는 꼭짓점을 선으로 이어 봅니다.

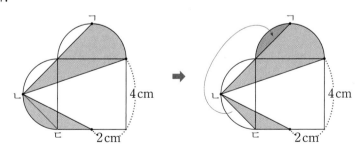

(색칠한 부분의 넓이)
$=$(반원의 넓이)$+$(위쪽 삼각형의 넓이)$+$(아래쪽 삼각형의 넓이)
$=2 \times 2 \times 3.14 \div 2 + 4 \times 2 \div 2 + 2 \times 2 \div 2$
$=6.28+4+2$
$=12.28(\text{cm}^2)$

1　36 cm²　　　　　2　80°　　　　　최상위 사고력　36.5 cm²

저자 톡! 어렵고 복잡해 보이는 도형의 넓이를 구하는 문제는 도형간의 관계나 주어진 조건을 그림을 이용하여 직관적인 식으로 나타내면 간단히 해결할 수 있습니다. 문제가 어려워 보인다고 처음부터 포기하지 말고 차근차근 식을 세워 문제 해결의 즐거움을 느껴 보도록 합니다.

1　(색칠된 부분의 넓이)=(반원과 직사각형의 넓이)－(반원의 넓이)

　　　　　　　　　　　=(직사각형의 넓이)

해결 전략
물감 묻은 반원을 아래로 이동시킨 후 반원을 들어 보면 색칠 된 모양은 직사각형과 반원이 합쳐진 모양입니다.

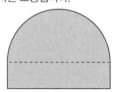

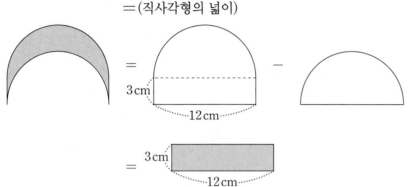

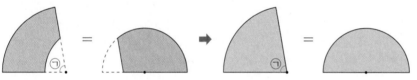

따라서 (색칠된 부분의 넓이)=12×3=36(cm²)

2　빨간색으로 색칠한 부분과 보라색으로 색칠한 부분의 넓이가 같으므로 중심각의 크기가 ㉠인 부채꼴과 작은 반원의 넓이가 같습니다.

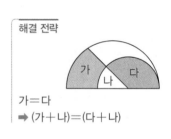

해결 전략

가=다
➡ (가＋나)=(다＋나)

(중심각의 크기가 ㉠인 부채꼴의 넓이)=$3 \times 3 \times 3 \times \dfrac{㉠}{360°} = 27 \times \dfrac{㉠}{360°}$

(작은 반원의 넓이)=$2 \times 2 \times 3 \div 2 = 6$

두 넓이가 같으므로 $27 \times \dfrac{㉠}{360°} = 6$, $\dfrac{㉠}{360°} = \dfrac{2}{9}$, $㉠ = 80°$

따라서 각 ㉠의 크기는 80°입니다.

최상위 사고력　(파인 부분 ㄱㄴㄷ의 넓이)

　　　=(정사각형 ㄱㄴㄷㄹ의 넓이)－(사분원의 넓이)

　　　=$100 - 10 \times 10 \times 3.14 \div 4 = 100 - 78.5$

　　　=$21.5(cm²)$

해결 전략

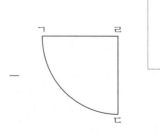

참고
원의 $\dfrac{1}{4}$인 부분, 즉 중심각의 크기가 90°인 부채꼴을 사분원이라고 합니다.

(색칠한 부분의 넓이)

＝(삼각형 ㄱㄴㅁ의 넓이)－(파인 부분 ㄱㄴㄷ의 넓이)

＝58－21.5

＝36.5(cm^2)

> **다른 풀이**
>
>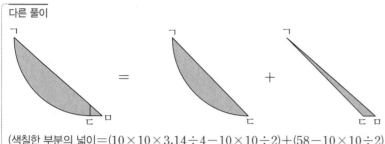
>
> (색칠한 부분의 넓이＝(10×10×3.14÷4－10×10÷2)＋(58－10×10÷2)
>
> ＝(78.5－50)＋(58－50)＝28.5＋8＝36.5(cm^2)

최상위 사고력

80~81쪽

1 157 cm^2　　　　　　　　　**2** 85.2 cm^2

3 6.75 cm^2　　　　　　　　　**4** 18.84 cm^2

1 사분원과 삼각형 ㄱㄴㄹ의 겹친 부분을 가라고 하고, 색칠한 부분을 각각 나, 다 라고 하면

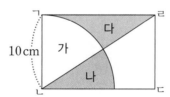

> **해결 전략**
> (사분원의 넓이)＝(삼각형 ㄱㄴㄹ의 넓이)

(사분원의 넓이)＝(가의 넓이)＋(나의 넓이),

(삼각형 ㄱㄴㄹ의 넓이)＝(가의 넓이)＋(다의 넓이)입니다.

문제의 조건에서 (나의 넓이)＝(다의 넓이)이므로

(가의 넓이)＋(나의 넓이)＝(가의 넓이)＋(다의 넓이),

즉 (사분원의 넓이)＝(삼각형 ㄱㄴㄹ의 넓이)입니다.

10×10×3.14÷4＝10×(선분 ㄱㄹ의 길이)÷2,

78.5＝5×(선분 ㄱㄹ의 길이), (선분 ㄱㄹ의 길이)＝15.7(cm)

따라서 (직사각형 ㄱㄴㄷㄹ의 넓이)＝15.7×10＝157(cm^2)

2 색칠한 부분은 9개의 원의 넓이에서 넓이 24개를 빼어 구할 수 있습니다.

> **해결 전략**
> (색칠한 부분의 넓이)
> ＝(9개의 원의 넓이)－(겹쳐진 부분의 넓이)

(원 1개의 넓이)＝2×2×3.1＝12.4(cm^2)

(1개의 넓이)＝(2×2×3.1÷4)－2×2÷2

＝1.1(cm^2)

(색칠한 부분의 넓이)＝(9개의 원의 넓이)－(24개의 겹쳐진 부분의 넓이)

$$＝12.4×9－1.1×24$$
$$＝111.6－26.4$$
$$＝85.2(cm^2)$$

다른 풀이

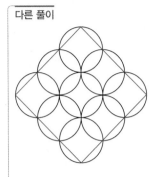

색칠한 부분은 한 대각선의 길이가 12 cm인 마름모의 넓이와

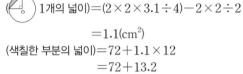 넓이 12개를 더해 구할 수 있습니다.

(마름모의 넓이)＝$12×12÷2＝72(cm^2)$

 1개의 넓이)＝$(2×2×3.1÷4)－2×2÷2$

$$＝1.1(cm^2)$$

(색칠한 부분의 넓이)＝$72+1.1×12$
$$＝72+13.2$$
$$＝85.2(cm^2)$$

3

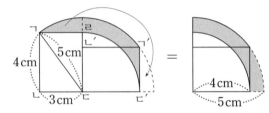

해결 전략

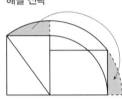

(색칠한 부분의 넓이)＝(반지름 5 cm인 사분원의 넓이)－(반지름 4 cm인 사분원의 넓이)

$$＝5×5×3÷4－4×4×3÷4$$
$$＝18.75－12$$
$$＝6.75(cm^2)$$

4 반원의 중점을 점 ㅅ, 반원과 사분원을 3등분한 선이 만나는 점을 각각 점 ㅁ, ㅂ이라 하고 선분 ㅂㅅ, 선분 ㅅㅁ, 선분 ㅂㅁ을 긋습니다.

점 ㄴ과 점 ㄷ이 호 ㄱㄹ을 삼등분하는 점이므로 점 ㅂ과 점 ㅁ도 호 ㅂㅁ의 삼등분점입니다.

따라서 (각 ㅂㅅㅁ)＝60°입니다.

(삼각형 ㅇㅁㅂ의 넓이)＝(삼각형 ㅅㅁㅂ의 넓이)이므로

(㉮의 넓이)＝(부채꼴 ㅂㅅㅁ의 넓이)입니다.

보충 개념

삼각형에서 밑변의 길이가 같고 높이가 같으면 삼각형의 넓이는 같습니다.

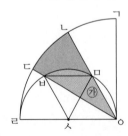

(색칠한 도형의 넓이)＝(부채꼴 ㄴㅇㄷ의 넓이)－(㉮의 넓이)

$$＝(부채꼴 ㄴㅇㄷ의 넓이)－(부채꼴 ㅂㅅㅁ의 넓이)$$

$$＝12×12×3.14×\frac{30°}{360°}－6×6×3.14×\frac{60°}{360°}$$

$$＝37.68－18.84＝18.84(cm^2)$$

9-1. 묶인 끈으로 만들 수 있는 도형의 최대 넓이

1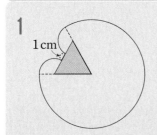

2 $237 \, \text{m}^2$

최상위
사고력 $121.5 \, \text{m}$

저자 톡! 실의 한쪽 끝에 연필을 매달고 다른 한쪽 끝은 고정시킨 후 실을 팽팽하게 당겨 가장 큰 도형을 그리면 원이 만들어 집니다. 그러나 중간에 장애물이 있으면 또 다른 형태의 도형이 만들어집니다. 이 단원에서는 도형 한쪽에 실을 고정시킨 후 움직일 수 있는 도형의 최대 넓이와 둘레를 구합니다. 직접 그 형태를 그려 본 후 문제를 해결할 수 있도록 합니다.

---

1 $7 \, \text{cm}$ 길이의 실이 한 변의 길이가 $5 \, \text{cm}$인 정삼각형에 완전히 닿을 때까지 그린 다음 남은 $2 \, \text{cm}$는 정삼각형의 다른 한 변에 완전히 닿을 때까지 그립니다.

해결 전략
연필로 그릴 때 원의 중심과 반지름의 길이가 어떻게 변하는지 주의하며 그립니다.

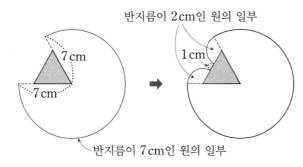

2 줄의 길이와 직사각형의 가로와 세로를 비교하면 양이 움직일 수 있는 가장 큰 땅을 다음과 같이 그릴 수 있습니다.

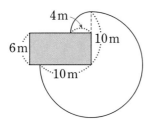

(양이 움직일 수 있는 땅의 최대 넓이)

$$= 10 \times 10 \times 3 \times \frac{3}{4} + 4 \times 4 \times 3 \div 4 = 225 + 12 = 237 (\text{m}^2)$$

최상위
사고력 줄의 길이와 직각삼각형의 각 변의 길이를 비교하면 소가 움직일 수 있는 가장 큰 땅을 다음과 같이 그릴 수 있습니다.

해결 전략
(색칠한 부분의 둘레)
=(곡선 부분의 길이)+(직선 부분의 길이)

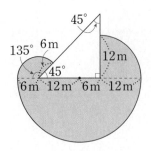

보충 개념
삼각형의 두 변의 길이가 $18\,cm$로 같으므로 이등변삼각형입니다. 따라서 직각이 아닌 두 각의 크기는 $45°$입니다.

색칠한 부분의 둘레를 곡선 부분과 직선 부분으로 나누어서 구해 보면

$$(곡선\ 부분의\ 길이)=6\times2\times3\times\frac{135°}{360°}+18\times2\times3\div2+12\times2\times3\div4$$

$$=13.5+54+18=85.5(m)$$

$$(직선\ 부분의\ 길이)=6+(12+6)+12=36(m)$$

$$(색칠한\ 부분의\ 둘레)=(곡선\ 부분의\ 길이)+(직선\ 부분의\ 길이)$$

$$=85.5+36=121.5(m)$$

9-2. 원의 중심이 지나간 경로의 길이

84~85쪽

1 (1) $25.12\,cm$ (2) $26.28\,cm$ **2** $77.3\,cm$ 최상위 사고력 $50.24\,cm$

저자 톡! 원을 사각형, 원과 구불구불한 길 위로 굴릴 때 원의 중심이 지나간 경로의 길이를 구하는 내용입니다. 앞에서와 같이 지나간 경로를 직접 그려 본 후 문제를 해결할 수 있도록 합니다.

1 (1) 원의 중심이 지나간 경로를 그리면 다음과 같습니다.

해결 전략
원의 중심이 지나간 경로의 길이를 그려 봅니다.

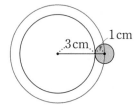

반지름이 $1\,cm$인 원의 중심이 지나간 경로의 길이는 반지름이 $4\,cm$인 원의 둘레와 같습니다.

(원의 중심이 지나간 경로의 길이)

$$=4\times2\times3.14=25.12(cm)$$

(2) 원의 중심이 지나간 경로를 그리면 다음과 같습니다.

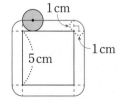

원의 중심이 지나간 경로의 길이는 직선 부분과 곡선 부분의 길이를 더해 구할 수 있습니다.

$$(직선\ 부분의\ 길이)=(정사각형의\ 둘레)=5\times4=20(cm)$$

(곡선 부분의 길이)＝(반지름이 1 cm인 원의 둘레)

     ＝1×2×3.14＝6.28(cm)

(원의 중심이 지나간 경로의 길이)

 ＝(직선 부분의 길이)＋(곡선 부분의 길이)

 ＝20＋6.28＝26.28(cm)

2 원의 중심이 지나간 경로를 그리면 다음과 같습니다.

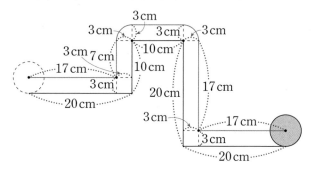

원의 중심이 지나간 경로의 길이는 직선 부분과 곡선 부분의 길이를 더해 구할 수 있습니다.

(직선 부분의 길이)＝17＋7＋10＋17＋17＝68(cm)

(곡선 부분의 길이)＝(반지름이 3 cm인 반원의 곡선 부분의 길이)

     ＝3×2×3.1÷2＝9.3(cm)

(원의 중심이 지나간 경로의 길이)

 ＝(직선 부분의 길이)＋(곡선 부분의 길이)

 ＝68＋9.3＝77.3(cm)

최상위 사고력 원의 중심이 지나간 경로를 그리면 다음과 같습니다. 이때 원의 반지름은 모두 같으므로 가장 오른쪽에 있던 원이 남은 두 원 사이에 있을 때 원의 중심을 연결하여 만들 수 있는 삼각형은 모두 정삼각형입니다.

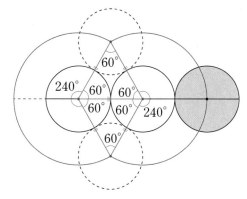

따라서 원의 중심이 지나간 경로의 길이는 반지름이 6 cm이고 중심각의 크기가 240°인 부채꼴 2개의 호의 길이와 같습니다.

$$(\text{원의 중심이 지나간 경로의 길이})＝6×2×3.14×\frac{240°}{360°}×2$$

$$＝50.24(\text{cm})$$

1 12.56 cm   **2** 46.5 cm   최상위 사고력 30 cm

저자 톡! 이 단원에서는 삼각형의 한 꼭짓점이 지나간 경로의 길이를 구합니다. 꼭짓점이 지나간 경로를 구할 때 원의 중심이 어디인지, 반지름은 얼마이고 부채꼴의 중심각 크기는 얼마인지 주의하며 경로를 정확히 그릴 수 있어야 합니다.

1 점 ㄱ이 지나간 경로를 그려보면 다음과 같습니다.

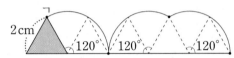

해결 전략
점이 지나간 경로를 직접 그려 봅니다.

점 ㄱ이 지나가는 경로의 길이는 반지름이 2 cm이고 중심각의 크기가 120°인 부채꼴 3개의 호의 길이와 같습니다.
(점 ㄱ이 지나간 경로의 길이)

$$=2 \times 2 \times 3.14 \times \frac{120°}{360°} \times 3 = 12.56(cm)$$

2 점 ㄱ이 지나간 경로를 그려 보면 다음과 같습니다.

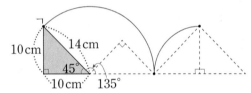

(점 ㄱ이 지나간 경로의 길이)
=(반지름이 14 cm이고 중심각의 크기가 135°인 부채꼴의 호의 길이)
  +(반지름이 10 cm이고 중심각의 크기가 90°인 부채꼴의 호의 길이)

$$=14 \times 2 \times 3 \times \frac{135°}{360°} + 10 \times 2 \times 3 \times \frac{90°}{360°}$$

$$=31.5 + 15 = 46.5(cm)$$

최상위 사고력 정사각형의 안쪽 변을 따라 정삼각형을 굴리면 점 ㄱ은 ①부터 ⑧까지 지납니다. 이때 점 ㄱ은 정사각형의 각 변마다 반지름이 3 cm이고 중심각의 크기가 120°인 부채꼴의 호의 길이와 중심각의 크기가 30°인 부채꼴의 호의 길이만큼 지납니다.

해결 전략
점 ㄱ이 지나간 경로는 반지름이 3 cm인 원의 일부로 그려집니다.

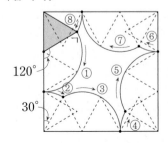

(점 ㄱ이 지나간 경로의 길이)

＝(반지름이 3 cm이고 중심각의 크기가 120°인 부채꼴의 호의 길이)×4

  ＋(반지름이 3 cm이고 중심각의 크기가 30°인 부채꼴의 호의 길이)×4

$=3 \times 2 \times 3 \times \dfrac{120°}{360°} \times 4 + 3 \times 2 \times 3 \times \dfrac{30°}{360°} \times 4$

$=24+6$

$=30\text{(cm)}$

최상위 사고력

1

2 63.14 cm^2

3 10.2 cm

4 75.36 cm

---

1 동전의 반지름을 ● cm라 하면

동전의 둘레는 ●×2×3.14＝●×6.28(cm)이고,

왼쪽 동전이 ㄱ에 닿을 때까지 동전의 중심이 지나간 경로의 길이는

(●＋●)×2×3.14÷2＝●×6.28(cm)입니다.

(동전이 회전한 바퀴 수)

＝(동전의 중심이 지나간 경로의 길이)÷(동전의 둘레)

＝(●×6.28)÷(●×6.28)＝1(바퀴)입니다.

따라서 동전은 1바퀴 회전하였으므로 숫자 100은 처음과 같이 ⑩

으로 놓입니다.

해결 전략
(동전이 회전한 바퀴 수)
＝(동전의 중심이 움직인 거리)
  ÷(동전의 둘레)

2 원이 지나간 부분을 그리면 다음과 같습니다.

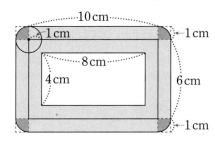

해결 전략
원이 지나간 부분을 그림으로 나타냅니다.

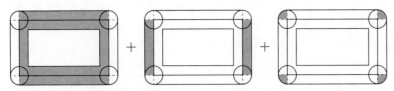

(원이 지나간 부분의 넓이)

$=10 \times 8 - 8 \times 4 + 1 \times 6 \times 2 + 1 \times 1 \times 3.14$

$=63.14 (\text{cm}^2)$

3 점 ㄴ이 지나간 경로를 그리면 다음과 같습니다.

해결 전략
점이 움직인 경로를 직접 그려 봅니다.

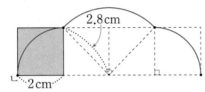

점 ㄴ이 지나간 경로의 길이는 반지름이 2 cm인 사분원 2개의 호의 길이와 반지름이 2.8 cm인 사분원 1개의 호의 길이의 합과 같습니다.

(점 ㄴ이 지나간 경로의 길이)

$=2 \times 2 \times 3 \div 4 \times 2 + 2.8 \times 2 \times 3 \div 4$

$=6 + 4.2$

$=10.2 (\text{cm})$

4 점 ㅇ이 지나간 경로를 그리면 다음과 같습니다.

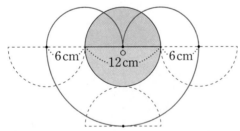

점 ㅇ이 지나간 경로의 길이는 반지름이 6 cm인 반원 2개의 호의 길이와 반지름이 12 cm인 반원 1개의 호의 길이의 합과 같습니다.

(점 ㅇ이 지나간 경로의 길이)

$=6 \times 2 \times 3.14 \div 2 \times 2 + 12 \times 2 \times 3.14 \div 2$

$=37.68 + 37.68$

$=75.36 (\text{cm})$

1 6.28 km

2 4.4 cm²

3 16 cm²

4 126 cm

5 10.28 cm

6 37.2 cm

---

1 (행성의 적도의 둘레)−(지구의 적도의 둘레)

$=(6400+1) \times 2 \times 3.14 - 6400 \times 2 \times 3.14$

$=(6400+1-6400) \times 2 \times 3.14$

$=6.28(km)$

> 참고
> 원의 크기에 상관없이 주어진 원에서 지름이 1 km, 2 km, 3 km……늘어나면 원의 둘레는 (3.14×1)km, (3.14×2)km, (3.14×3)km……씩 늘어납니다.

2 작은 원의 겹쳐진 부분을 반씩 잘라 다음과 같이 옮기면 색칠한 부분은 큰 원에서 정사각형을 뺀 부분의 넓이와 같습니다.

> 해결 전략
> 색칠한 부분을 자르고 옮겨 넓이를 구하기 쉬운 도형으로 변형시킵니다.

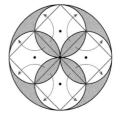 ➡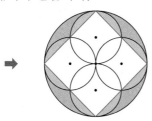

← (정사각형의 넓이)=(마름모의 넓이)
=(대각선의 길이)×(대각선의 길이)÷2

(색칠한 부분의 넓이)=(큰 원의 넓이)−(정사각형의 넓이)

$=2 \times 2 \times 3.1 - 4 \times 4 \div 2$

$=12.4-8$

$=4.4(cm^2)$입니다.

3 색칠한 부분의 넓이는 반지름이 4 cm인 반원의 넓이에서 ㉮ 부분의 넓이를 빼어 구할 수 있습니다.

(㉮의 넓이)=(삼각형 ㄱㄴㄷ의 넓이)−(부채꼴 ㄱㄴㄹ의 넓이)

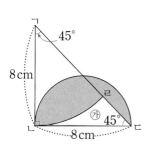

$=8 \times 8 \div 2 - 8 \times 8 \times 3 \times \dfrac{45°}{360°}$

$=32-24$

$=8(cm^2)$

(색칠한 부분의 넓이)=(반지름이 4 cm인 반원의 넓이)−(㉮의 넓이)

$=4 \times 4 \times 3 \div 2 - 8$

$=24-8$

$=16(cm^2)$

4 3번 회전할 때마다 정삼각형은 처음과 같은 모양으로 놓입니다. 이때 점 ㄱ이 지나간 경로의 길이는 반지름이 3 cm이고 중심각의 크기가 120° 인 부채꼴 2개의 호의 길이와 같습니다.

해결 전략
정삼각형이 3번 회전할 때 점 ㄱ이 이동한 경로를 그려 봅니다.

(정삼각형이 3번 회전할 때 점 ㄱ이 지나간 경로의 길이)

$$=3\times2\times3\times\frac{120°}{360°}\times2=12\text{(cm)}$$

정삼각형을 31번 굴렸으므로

(점 ㄱ이 지나간 경로의 길이)$=12\times10+6=126\text{(cm)}$

보충 개념
$31\div3=10\cdots1$

5 색칠한 부분의 둘레를 직선 부분과 곡선 부분으로 나누어 구합니다.
(직선 부분의 길이)$=1+2+1=4\text{(cm)}$
곡선 부분의 길이는 반지름이 1 cm인 사분원의 호의 길이와 반지름이 3 cm인 사분원의 호의 길이의 합입니다.
(곡선 부분의 길이)$=1\times2\times3.14\div4+3\times2\times3.14\div4$
$$=6.28\text{(cm)}$$
따라서 (색칠한 부분의 둘레)$=$(직선 부분의 길이)$+$(곡선 부분의 길이)
$$=4+6.28$$
$$=10.28\text{(cm)}$$

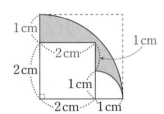

6 원의 중심이 지나간 경로를 그리면 다음과 같습니다. 이때 원의 반지름은 모두 같으므로 경로 안쪽에서 찾을 수 있는 삼각형은 모두 정삼각형입니다.

해결 전략
원의 중심이 지나간 경로를 그려 봅니다.

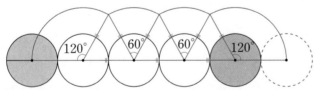

따라서 원의 중심이 지나간 경로의 길이는 반지름이 6 cm이고 중심각의 크기가 120°인 부채꼴 2개의 호의 길이와 중심각의 크기가 60°인 부채꼴 2개의 호의 길이의 합과 같습니다.
(원의 중심이 지나간 경로의 길이)
$$=6\times2\times3.1\times\frac{120°}{360°}\times2+6\times2\times3.1\times\frac{60°}{360°}\times2$$
$$=24.8+12.4$$
$$=37.2\text{(cm)}$$

Ⅳ 도형(2)

앞 단원에서는 평면도형인 원에 대해 학습하였고, 이 단원에서는 입체도형 중에서 원뿔, 원기둥 등의 회전체에 대해 학습합니다.

10 회전체와 단면에서는 회전체의 형태에 관한 내용을 학습합니다. 여러 가지 모양의 평면도형을 회전축을 중심으로 1회전시켰을 때 어떤 회전체가 나오는지 알아보고, 회전체를 여러 방향으로 잘랐을 때 나오는 단면의 모양을 살펴봅니다.

11 최단거리와 겉넓이에서는 회전체의 겉면에 관한 내용을 학습합니다. 입체도형을 평면도형으로 바꾸어 입체도형의 겉면 위에 있는 두 점의 최단거리를 구해 보고, 회전체인 원뿔과 원기둥의 겉넓이를 구해 봅니다.

12 입체도형의 부피에서는 원기둥과 원뿔의 부피를 구하는 방법을 학습한 뒤 이를 바탕으로 다양한 모양의 입체도형의 부피를 구해 봅니다.

이 단원은 최상위 사고력의 마지막 도형 주제로 평면도형에서 입체도형으로, 다면체에서 회전체로 주제를 심화 확장한 것입니다. 따라서 지금까지 학습한 도형의 기본 원리와 개념을 떠올리며 비교하며 학습하여야 합니다.

최상위 사고력 **10** 회전체와 단면

10-1. 회전체

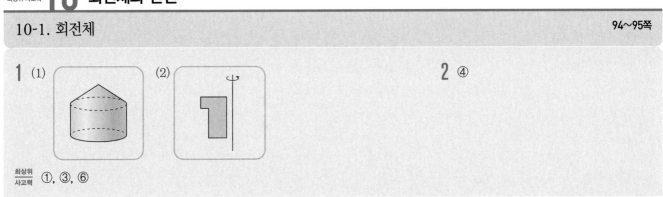

1 (1)   (2)

2 ④

최상위
사고력 ①, ③, ⑥

> **저자 톡!** 회전체는 평면도형을 회전축을 중심으로 1회전시켰을 때 생기는 입체도형을 말합니다. 이 단원에서는 여러 가지 모양의 평면도형을 회전시켰을 때 나오는 회전체의 모양을 알아보고, 반대로 회전체를 보고 어떤 평면도형을 회전시켰을 때 나온 것인지도 알아봅니다. 또한 한 가지 평면도형을 회전축을 다양하게 바꾸어 회전시켰을 때 어떤 회전체가 생기는지 생각해 보며 공간감각을 기르도록 합니다.

1 (1)

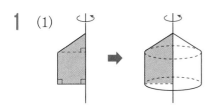

평면도형을 두 부분으로 나누면 직각삼각형과 직사각형으로 나눌 수 있습니다. 직각삼각형을 회전시키면 원뿔, 직사각형을 회전시키면 원기둥이 만들어집니다.

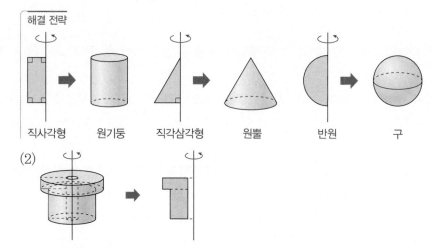

직사각형　　원기둥　　직각삼각형　　원뿔　　반원　　구

(2)

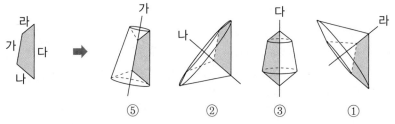

보충 개념
회전축과 떨어진 평면도형을 회전시키면 구
멍이 뚫린 회전체를 만들 수 있습니다.

회전체는 원기둥 두 개를 위아래로 붙인 후 회전축을 포함하는 원기
둥 만큼의 구멍이 뚫린 모양입니다.
주어진 회전체를 만들 수 있는 평면도형은 위의 오른쪽 그림과 같이
두 직사각형이 붙어 있는 모양입니다.

2　사각형의 각 변을 회전축으로 하여 가, 나, 다, 라의 순서대로 회전 시켜 회전체를 만들어 봅니다.

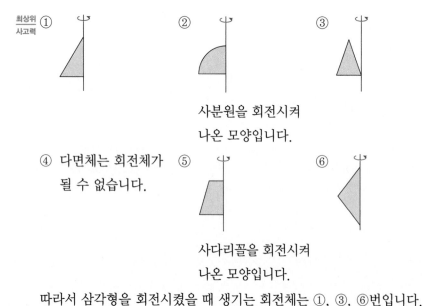

따라서 사각형의 각 변을 회전축으로 하여 1회전시켰을 때 생기는 회전체가 아닌 것은 ④번입니다.

① 　　　② 　　　③

해결 전략
회전축을 찾은 후, 삼각형을 어떻게 회전시
켰는지 알아봅니다.

사분원을 회전시켜
나온 모양입니다.

④ 다면체는 회전체가　⑤　　　⑥
　　될 수 없습니다.

사다리꼴을 회전시켜
나온 모양입니다.
따라서 삼각형을 회전시켰을 때 생기는 회전체는 ①, ③, ⑥번입니다.

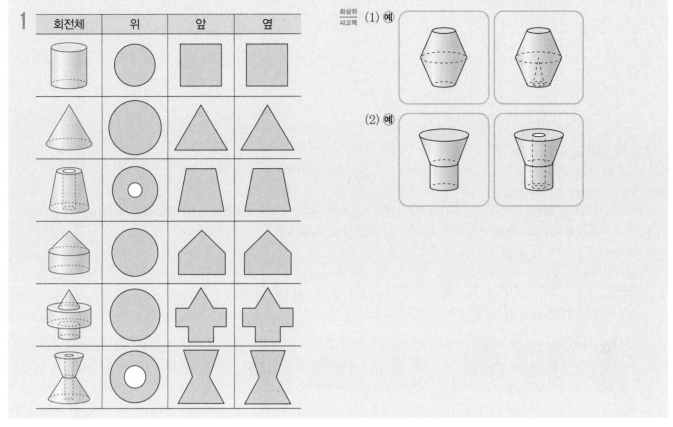

저자 톡! 이 단원에서는 회전체를 위, 앞, 옆에서 보았을 때 어떤 모양인지 알아봅니다. 앞이나 옆에서 보았을 때 같은 모양이라도 위에서 보았을 때 다른 모양일 수 있습니다. 예를 들어 직사각형의 한 변을 회전축으로 하여 회전시키면 구멍이 뚫리지 않은 원기둥이 나오지만 회전축에서 일정 거리만큼 떨어뜨려 회전시키면 구멍이 뚫린 원기둥이 나옵니다. 이와 같은 상황을 여러 가지 생각해 보며 다양한 회전체의 모양을 떠올려 봅니다.

1 회전체는 앞에서 본 모양과 옆에서 본 모양이 같습니다.
또한 위에서 본 모양은 원이거나 구멍이 뚫린 원입니다.

해결 전략
회전체를 앞, 옆에서 본 모양은 회전축을 기준으로 선대칭입니다.

최상위 사고력 (1) 구멍이 없거나 구멍이 완전히 뚫리지 않은 회전체를 그릴 수 있습니다.

(2) 구멍이 없거나 구멍이 완전히 뚫리지 않았거나 구멍이 완전히 뚫린 회전체를 그릴 수 있습니다.

1

단면	단면

2 ②, ④, ⑥, ⑦

최상위
사고력 **예**

저자 톡! 이 단원에서는 회전체를 잘라 생긴 단면의 모양을 생각해 봅니다. 입체도형을 잘라 생긴 단면의 모양을 직접 확인하지 않고 머릿속으로만 상상하여 문제를 해결하는 것은 매우 어렵습니다. 따라서 상상하기 힘든 경우에는 직접 오이, 당근 등을 잘라 확인해 보거나 원기둥이나 원뿔 모양의 수조에 물을 반쯤 채운 후 기울여 그 모습을 직접 관찰해 보도록 합니다.

1 원뿔을 회전축에 수직이거나 회전축을 포함하는 경우가 아닌 다른 방향으로 자르면 여러 가지 모양의 단면이 나옵니다.

> **참고**
> 원기둥이나 원뿔을 회전축에 수직인 방향으로 자르면 원 모양의 단면이 나오지만 회전축에 비스듬한 방향으로 자르면 타원이 나옵니다. 예를 들어 원기둥 모양의 컵에 물을 넣은 후 컵을 기울이면 그 단면이 타원으로 보이고, 가래떡을 비스듬히 자르면 타원 모양의 떡국 떡이 나옵니다.
> • 원: 한 점에서 일정한 거리에 있는 점들의 자취
> • 타원: 서로 다른 두 점에서 잰 거리의 합이 일정한 점들의 자취

원   타원

2 ① 회전축에 수직으로 자릅니다.   ③ 회전축에 비스듬히 자릅니다.

⑤ 회전축을 포함하여 자릅니다.   ⑧ 회전축에 평행하게 자릅니다.

> **해결 전략**
> 다음과 같은 회전체가 만들어 집니다.

> **참고**
> 이와 같이 만들어지는 회전체를 원뿔대라고 합니다. 즉, 원뿔대는 원뿔을 밑면에 평행한 평면으로 잘라서 생기는 두 입체도형 중 원뿔이 아닌 쪽의 입체도형입니다.

② 두 쌍의 마주 보는 변끼리 평행한 사각형은 나올 수 없습니다.

④, ⑥ 회전체의 단면은 선대칭도형입니다.

⑦ 두 직선과 곡선으로 이루어진 모양은 나올 수 없습니다.

첫 번째, 두 번째 단면의 모양에서 이 회전체는 도형 한가운데에 구멍이 파였거나 완전히 뚫린 모양임을 알 수 있습니다.
세 번째 단면의 모양에서 이 회전체는 윗 부분은 평평하고 아래로 갈수록 좁아지는 모양임을 알 수 있습니다.

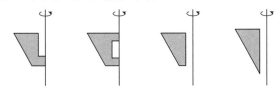

이외에도 여러 가지 답이 있습니다.

참고
① 회전체를 회전축에 수직인 평면으로 자를 때 생기는 단면은 항상 원입니다.
② 회전체를 회전축을 포함하는 평면으로 자를 때 생기는 단면은 회전축을 대칭축으로 하는 선대칭도형 또는 선대칭 위치에 있는 도형입니다.

최상위 사고력

1 예

2 ②, ⑤, ⑧

3

4 ②

1 도형을 회전 시킬 때 회전축이 어디에 있느냐에 따라 만들어지는 회전체의 모양은 달라질 수 있습니다. 특히 평면도형이 회전축의 양쪽에 있는 경우 축을 기준으로 양쪽 중에서 더 작은 도형은 회전체의 모양에 영향을 주지 않습니다. 따라서 회전체는 회전축을 기준으로 옆으로 더 큰 평면도형을 회전한 모양이 나옵니다.

2  ①   ③   ④   ⑥   ⑦

② 구멍이 뚫리지 않은 원은 나올 수 없습니다.
⑤ 회전체의 밑면을 자를 때만 선분이 나오므로 세 변이 모두 선분으로 둘러싸인 모양은 나올 수 없습니다.
⑧ 가운데 부분이 파인 타원의 반쪽 모양은 나올 수 없습니다.

3 회전체의 회전축을 먼저 찾은 후 회전시키기 전의 평면도형을 찾습니다. 평면도형이 회전축의 양쪽에 있는 경우 회전축을 기준으로 양쪽 중에서 더 큰 평면도형을 회전 시킨 모양이 나옵니다.

해결 전략
회전체의 회전축을 먼저 찾아봅니다.

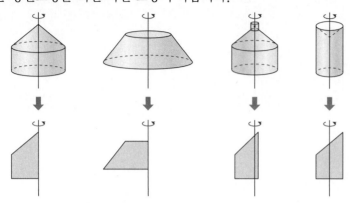

4 정육면체의 대각선 ㄹㅂ을 곧게 세워 지면에 수직으로 세우면 왼쪽과 같습니다. 이때 꼭짓점 ㄱ은 꼭짓점 ㄴ보다 회전축을 기준으로 위에 놓입니다.
선분 ㄹㄱ과 선분 ㅂㄴ을 회전시키면 똑같이 원뿔 모양이 나오고, 선분 ㄱㄴ을 회전시키면 오른쪽 그림과 같이 안쪽으로 들어간 굽은 면이 나옵니다.

해결 전략
정육면체에서 회전축이 되는 선분 ㄹㅂ을 지면에 수직으로 세워 생각합니다.

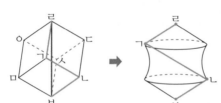

최상위 사고력 **11** **최단거리와 겉넓이**

11-1. 입체도형에서의 최단거리   102~103쪽

1
ⓒ ⓖ ⓔ ⓑ

최상위
사고력 18 cm

2 가

저자 톡! 평면도형에서 두 점 사이의 최단거리는 두 점을 잇는 선분입니다. 이 단원에서는 입체도형에서 최단거리를 구해 보는데 회전체는 굽은 면이 있어 선분의 길이를 바로 구하기 힘듭니다. 따라서 입체도형을 전개도로 나타낸 후 최단거리를 구해야 합니다. 전개도를 이용하여 입체도형의 최단거리를 구해 봅니다.

1
- 보라색 선이 빨간색 선과 수직으로 만납니다. (→ ㉢)

- 보라색 선이 빨간색 선과 한쪽에서는 수직으로 만나고 다른 쪽에서는 평행하게 만납니다. (→ ㉠)

- 보라색 선이 빨간색 선에서 시작하여 위쪽으로 올라갑니다.
(→ ㉣)

- 보라색 선이 빨간색 선에서 시작하여 아래쪽으로 내려갑니다.
(→ ㉡)

해결 전략
빨간색 선과 보라색 줄무늬 선이 어떻게 만나는지 살펴봅니다.

참고
㉣의 보라색 선은 옆면의 한 점에서 출발하여 옆면을 한 바퀴 돌아 다시 그 자리로 오는 최단 거리를 나타냅니다.

2 직육면체와 원기둥의 전개도를 그려 점 ㄱ과 점 ㄴ을 잇는 선분을 그려 봅니다.

(가에서 실이 지나간 부분의 전개도)

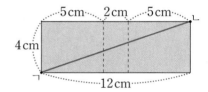

(나의 옆면의 전개도)

원기둥의 밑면의 둘레는 $1 \times 2 \times 3.14 = 6.28$(cm)입니다.

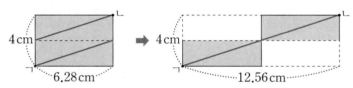

선분 ㄱㄴ을 대각선으로 하는 두 직사각형의 가로와 세로를 비교해 보면 세로는 4 cm로 같지만 가 직사각형의 가로가 더 짧으므로 가 직사각형의 선분 ㄱㄴ이 더 짧습니다.

따라서 가에 사용한 실의 길이가 더 짧습니다.

해결 전략
입체도형에서의 최단거리는 전개도를 그려 생각합니다.

최상위 사고력 원뿔의 옆면을 한 바퀴 돌아 다시 점 ㄱ까지 오는 가장 짧은 선은 선분 ㄱㄴ입니다.

삼각형 ㅇㄱㄴ은 이등변삼각형이므로 두 밑각의 크기는 같습니다. 이때 한 밑각의 크기가 $(180° - 60°) \div 2 = 60°$이므로 삼각형 ㅇㄱㄴ은 정삼각형입니다.

따라서 선분 ㄱㄴ의 길이는 정삼각형 ㅇㄱㄴ의 한 변이므로 18 cm입니다.

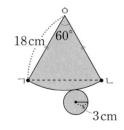

해결 전략
원뿔의 옆면을 한 바퀴 돌아 다시 출발점으로 돌아올 때의 최단거리는 다음과 같습니다.

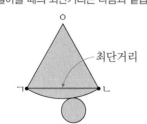

최단거리

1 120°   **2** 125.6 cm²   최상위 사고력 270 cm²

저자 톡! 다면체의 겉넓이를 구할 때와 마찬가지로 원뿔의 겉넓이도 각 면의 넓이의 합을 이용하여 구할 수 있습니다. 원뿔의 옆면을 잘라 평면도형으로 나타내면 부채꼴이 나옵니다. 부채꼴의 넓이는 원뿔의 모선의 길이와 부채꼴의 중심각의 크기를 알면 구할 수 있고, 부채꼴의 중심각의 크기는 원뿔의 모선의 길이와 밑면인 원의 반지름의 길이를 알면 쉽게 구할 수 있습니다.

1 옆면인 부채꼴의 호의 길이와 밑면인 원의 둘레는 서로 같습니다.

(부채꼴의 호의 길이)$=9 \times 2 \times 3.14 \times \dfrac{\bigcirc}{360°}$(cm)

(원의 둘레)$=3 \times 2 \times 3.14$(cm)

➡ $\overset{3}{\cancel{9}} \times 2 \times 3.14 \times \dfrac{\bigcirc}{360°}=3 \times 2 \times 3.14$, $\dfrac{\bigcirc}{360°}=\dfrac{1}{3}$, $\bigcirc=120°$

해결 전략
(옆면인 부채꼴의 호의 길이)
$=$(밑면인 원의 둘레)

참고
원뿔에서 원뿔의 꼭짓점과 밑면인 원의 둘레의 한 점을 이은 선분을 모선이라고 합니다. 또한 옆면인 부채꼴의 중심각의 크기는 다음과 같은 방법으로 간단히 구할 수 있습니다.

(옆면인 부채꼴의 중심각의 크기)$=360° \times \dfrac{(밑면인\ 원의\ 반지름)}{(모선의\ 길이)}=360° \times \dfrac{3}{9}=120°$

— 원뿔의 꼭짓점
← 모선

2 부채꼴의 중심각의 크기를 ㉠이라 하면
(옆면인 부채꼴의 호의 길이)$=$(밑면인 원의 둘레)이므로

(옆면인 부채꼴의 호의 길이)$=10 \times 2 \times 3.14 \times \dfrac{\bigcirc}{360°}$(cm)

(밑면인 원의 둘레)$=2 \times 2 \times 3.14$(cm)

➡ $\overset{5}{\cancel{10}} \times 2 \times 3.14 \times \dfrac{\bigcirc}{360°}=2 \times 2 \times 3.14$, $\dfrac{\bigcirc}{360°}=\dfrac{1}{5}$, $\bigcirc=72°$

바닥에 닿은 부분은 점 ㅇ을 원의 중심으로 하여
옆면의 전개도 2개를 이어 붙인 부채꼴이므로
(바닥에 닿은 부분의 넓이)

$=10 \times 10 \times 3.14 \times \dfrac{144°}{360°}=125.6$(cm²)입니다.

해결 전략
바닥에 닿은 부분은 점 ㅇ을 원의 중심으로 하여 옆면의 전개도 2개를 이어 붙인 부채꼴입니다.

참고
(옆면인 부채꼴의 중심각의 크기)
$=360° \times \dfrac{(밑면인\ 원의\ 반지름)}{(모선의\ 길이)}$
$=360° \times \dfrac{2}{10}=72°$

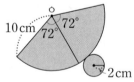

최상위 사고력 (위쪽 밑면의 넓이)$=3 \times 3 \times 3=27$(cm²)
(아래쪽 밑면의 넓이)$=6 \times 6 \times 3=108$(cm²)

(옆면의 넓이)$=10 \times 10 \times 3 \times \dfrac{216°}{360°}-5 \times 5 \times 3 \times \dfrac{216°}{360°}$
$=180-45=135$(cm²)

(입체도형의 겉넓이)$=$(위쪽 밑면의 넓이)$+$(아래쪽 밑면의 넓이)
$\qquad\qquad\qquad +$(옆면의 넓이)
$\qquad\qquad =27+108+135=270$(cm²)

해결 전략
옆면의 전개도를 먼저 그려 봅니다.

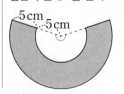

보충 개념
(옆면인 부채꼴의 중심각의 크기)
$=360° \times \dfrac{6}{10}=216°$

1 240 cm²	**2** 1570 cm²	최상위 사고력 270 cm²

저자 톡! 이 단원에서는 구멍이 뚫린 원기둥의 겉넓이를 구해 봅니다. 원기둥을 관통할 때와 일부만 파였을 때 겉넓이를 구하는 방법이 다르므로 뚫린 부분의 겉면을 잘 관찰하여 원기둥의 겉넓이를 기준으로 어느 부분을 더하고 빼어야 하는지 생각해 봅니다.

1 (원기둥의 겉넓이)

= (큰 원기둥의 밑면의 넓이) × 2 − (작은 원기둥의 밑면의 넓이) × 2
  + (큰 원기둥의 옆면의 넓이) + (작은 원기둥의 옆면의 넓이)

= $(3 \times 3 \times 3) \times 2 - (1 \times 1 \times 3) \times 2 + (6 \times 3 \times 8) + (2 \times 3 \times 8)$

= $54 - 6 + 144 + 48$

= $240(cm^2)$

> **해결 전략**
> 구멍이 뚫린 원기둥의 겉넓이는 처음 겉넓이에서 작은 원기둥의 밑면의 넓이만큼 줄어들고 작은 원기둥의 옆면의 넓이만큼 늘어납니다.

2 반지름이 10 cm인 원기둥을 ㉠, 반지름이 8 cm인 원기둥을 ㉡, 반지름이 5 cm인 원기둥을 ㉢이라고 놓고 문제를 해결합니다.

> **해결 전략**
> 입체도형의 위에서 본 밑면의 넓이는 파내기 전과 파낸 후가 똑같습니다.

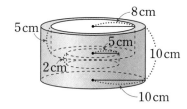

(입체도형의 겉넓이) = (㉠의 밑면의 넓이) × 2 + (㉠의 옆면의 넓이) + (㉡의 옆면의 넓이) + (㉢의 옆면의 넓이)

= $(10 \times 10 \times 3.14) \times 2 + (10 \times 2 \times 3.14 \times 10) + (8 \times 2 \times 3.14 \times 5)$
  $+ (5 \times 2 \times 3.14 \times 2)$

= $314 \times 2 + 628 + 251.2 + 62.8$

= $1570(cm^2)$

최상위 사고력 원기둥을 위에서부터 차례대로 ㉠, ㉡, ㉢이라고 놓고 문제를 해결합니다.

> **해결 전략**
> 구멍이 뚫리지 않은 입체도형의 밑면의 넓이는 입체도형을 위에서 본 모양과 같습니다.

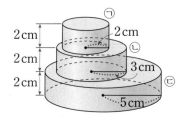

(입체도형의 겉넓이) = (㉠의 옆면의 넓이) + (㉡의 옆면의 넓이) + (㉢의 옆면의 넓이) + (㉢의 밑면의 넓이) × 2

= $(2 \times 2 \times 3 \times 2) + (3 \times 2 \times 3 \times 2) + (5 \times 2 \times 3 \times 2) + (5 \times 5 \times 3) \times 2$

= $24 + 36 + 60 + 75 \times 2 = 270(cm^2)$

최상위 사고력

1 ④

2 47.68 cm

3 900 cm²

4 11개

---

1 입체도형의 옆면의 전개도를 접으면 다음과 같은 모양이 나옵니다.

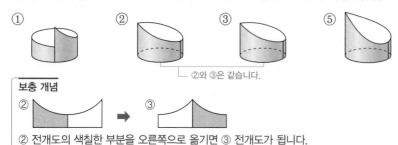

① ② ③ ⑤

└─②와 ③은 같습니다.─┘

보충 개념
② ➡ ③

② 전개도의 색칠한 부분을 오른쪽으로 옮기면 ③ 전개도가 됩니다.

> **해결 전략**
> 주어진 전개도를 이용하여 옆면을 만들어
> 봅니다.

---

2 (밑면의 둘레)$=3\times2\times3.14=18.84$(cm)

(옆면인 부채꼴의 둘레)$=$(부채꼴의 반지름)$\times2+$(부채꼴의 호의 길이)

$\qquad\qquad=5\times2+3\times2\times3.14=28.84$(cm)

(전개도의 둘레)$=$(밑면의 둘레)$+$(옆면인 부채꼴의 둘레)

$\qquad\qquad=18.84+28.84=47.68$(cm)

> **해결 전략**
> (옆면인 부채꼴의 호의 길이)
> $=$(밑면인 원의 둘레)

---

3 정삼각형을 한 바퀴 돌려 만든 도형은 원뿔대의 속이 원뿔 모양으로 뚫린 모양입니다. 이 회전체의 겉넓이는 안쪽 원뿔 모양을 원뿔대와 면이 맞닿도록 위로 올려서 만든 큰 원뿔 모양의 겉넓이와 같습니다.

> **해결 전략**
> 겉넓이를 구하기 쉬운 입체도형으로 바꿀
> 수 있는지 알아봅니다.

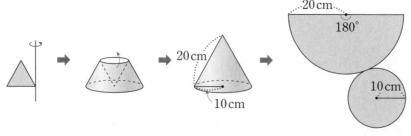

원뿔의 전개도를 그려 보면

(옆면인 부채꼴의 중심각의 크기)$=360°\times\dfrac{10}{20}=180°$입니다.

(옆면의 넓이)$=20\times20\times3\times\dfrac{180°}{360°}=600$(cm²)

(밑면의 넓이)$=10\times10\times3=300$(cm²)

(회전체의 겉넓이)$=600+300=900$(cm²)

> **참고**
> (옆면인 부채꼴의 중심각의 크기)
> $=360°\times\dfrac{\text{(밑면인 원의 반지름)}}{\text{(모선의 길이)}}$

4 정육면체에 원기둥 모양의 구멍을 1개 뚫을 때마다 원기둥 밑면 넓이의
2배만큼 겉넓이가 줄어들고, 옆면의 넓이만큼 겉넓이가 늘어납니다.

(정육면체의 겉넓이)$=10 \times 10 \times 6 = 600$(cm^2)

(구멍 1개를 뚫을 때마다 줄어드는 넓이)

$=$(밑면의 넓이)$\times 2 = 1 \times 1 \times 3.14 \times 2 = 6.28$(cm^2)

(구멍 1개를 뚫을 때마다 늘어나는 넓이)

$=$(옆면의 넓이)$= 1 \times 2 \times 3.14 \times 10 = 62.8$(cm^2)

➡ (구멍 1개를 뚫을 때마다 늘어나는 겉넓이)$=62.8-6.28$

$\qquad\qquad\qquad\qquad\qquad\qquad\qquad =56.52$(cm^2)

$600+56.52 \times \square > 600 \times 2$, $56.52 \times \square > 600$,

$\square > 600 \div 56.52$, $\square > 10.615 \cdots$

이므로 최소 11개의 구멍을 뚫어야 합니다.

해결 전략
구멍 1개를 뚫을 때마다 겉넓이가 얼마씩
늘어나는지 알아봅니다.

12-1. 원기둥과 원뿔의 부피

110~111쪽

1 (1) 192 cm^3 (2) 252 cm^3　　　최상위 사고력 **A** 4.71 cm　　　최상위 사고력 **B** 216 cm^3

저자 톡! 최상위 사고력 6A에서 각뿔의 부피는 밑면의 넓이와 높이가 각각 같은 각기둥의 부피의 $\frac{1}{3}$임을 학습하였습니다. 원뿔의 부피도 밑면의 넓이와 높이가 각각 같은 원기둥의 부피의 $\frac{1}{3}$이라는 사실을 직관적으로 이해하고, 이를 이용하여 원기둥과 원뿔로 이루어진 여러 가지 모양의 회전체의 부피를 구해 봅니다.

1 (1) (입체도형의 부피)$=$(원기둥의 부피)$+$(원뿔의 부피)

$\qquad\qquad =4 \times 4 \times 3 \times 3 + \frac{1}{3} \times 4 \times 4 \times 3 \times (6-3)$

$\qquad\qquad =144+48=192$(cm^3)

(2) (입체도형의 부피)$=$(큰 원뿔의 부피)$-$(작은 원뿔의 부피)

$\qquad\qquad =\frac{1}{3} \times 6 \times 6 \times 3 \times (4+4) - \frac{1}{3} \times 3 \times 3 \times 3 \times 4$

$\qquad\qquad =288-36=252$(cm^3)

해결 전략
(원뿔의 부피)
$=\frac{1}{3} \times$ (밑면의 넓이와 높이가 각각 같은 원기둥의 부피)

최상위 사고력 A (원뿔 모양의 컵에 들어 있는 물의 부피)$=\dfrac{1}{3}\times3\times3\times3.14\times10$

$\qquad\qquad\qquad\qquad\qquad\qquad\quad=94.2(\text{cm}^3)$

(직육면체 모양의 통에 부은 물의 부피)$=4\times5\times(\text{물의 높이})$

원뿔 모양의 컵에 들어 있는 물의 부피와 직육면체 모양의 통에 부은 물의 부피가 서로 같으므로

$94.2=4\times5\times(\text{물의 높이})$, $(\text{물의 높이})=4.71(\text{cm})$

해결 전략
(원뿔의 부피)=(직육면체의 밑넓이)
$\qquad\qquad\times(\text{물의 높이})$

최상위 사고력 B 위쪽에 있는 직각삼각형을 아래쪽으로 이동한 뒤 한 바퀴 돌려도 회전체의 부피는 변하지 않습니다.

따라서 회전체의 부피는 밑면인 원의 반지름이 $6\,\text{cm}$이고 높이가 $8\,\text{cm}$인 원뿔에서 밑면인 원의 반지름이 $3\,\text{cm}$이고 높이가 $4\,\text{cm}$인 원뿔 2개를 뺀 것과 같습니다.

해결 전략
부피를 구하기 쉬운 입체도형으로 바꿀 수 있는지 알아봅니다.

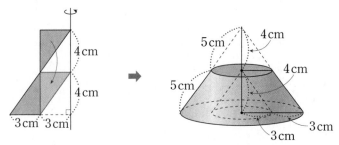

(회전체의 부피)$=\dfrac{1}{3}\times6\times6\times3\times8-\dfrac{1}{3}\times3\times3\times3\times4\times2=216(\text{cm}^3)$

12-2. 회전체의 부피

112~113쪽

1 나	**2** $446.4\,\text{cm}^3$	**최상위 사고력** (1) $100.48\,\text{cm}^3$ (2) $339.12\,\text{cm}^3$

저자 톡! 우리는 직사각형의 한 변을 회전축으로 하여 1회전시켰을 때 나오는 회전체는 원기둥이고, 원기둥의 부피를 구하는 방법을 알고 있습니다. 그렇다면 직사각형의 넓이 또는 둘레가 일정할 때 가로, 세로에 따라 원기둥의 부피는 어떻게 될까요? 각각의 경우에 원기둥의 부피의 변화를 알아보고 부피의 최댓값, 최솟값을 구해 봅니다.

1 가

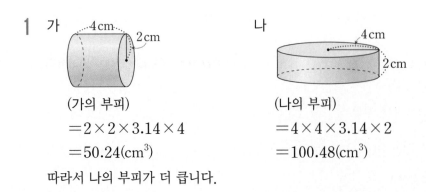

(가의 부피)

$=2\times2\times3.14\times4$

$=50.24(\text{cm}^3)$

나

(나의 부피)

$=4\times4\times3.14\times2$

$=100.48(\text{cm}^3)$

따라서 나의 부피가 더 큽니다.

참고
평면도형의 가로와 세로의 합이 일정할 때 평면도형의 가로가 길수록 부피가 큽니다.

2 직사각형의 넓이가 $12\,\text{cm}^2$이므로 직사각형의 (가로, 세로)는 (1, 12), (2, 6), (3, 4), (4, 3), (6, 2), (12, 1)입니다.

직사각형의 세로를 회전축으로 하여 1회전시켰을 때 만들어지는 원기둥의 부피를 구해 보면 다음과 같습니다.

가로(cm)	1	2	3	4	6	12
세로(cm)	12	6	4	3	2	1
부피(cm³)	37.2	74.4	111.6	148.8	223.2	446.4

직사각형의 가로가 길수록 원기둥의 부피가 커지므로 부피가 가장 클 때는 가로가 $12\,\text{cm}$, 세로가 $1\,\text{cm}$인 직사각형을 회전시켰을 때이고, 그때의 원기둥의 부피는 $446.4\,\text{cm}^3$입니다.

해결 전략
직사각형의 가로와 세로가 될 수 있는 경우를 찾아 원기둥의 부피를 구해 봅니다.

참고
직사각형의 가로와 세로의 곱이 일정한 경우 직사각형의 세로를 회전축으로 하여 1회전시켰을 때 가로가 길수록 회전체의 부피가 큽니다.
직사각형의 가로를 ㉠, 세로를 ㉡이라 할 때
㉠×㉡=12이고,
(원기둥의 부피)=㉠×㉠×3.1×㉡
　　　　　　　 =㉠×12×3.1
　　　　　　　 =㉠×37.2
이므로 원기둥의 가로가 길수록 부피가 크고, 가로가 짧을수록 부피가 작습니다.

최상위 사고력

(1) 직사각형의 둘레가 $12\,\text{cm}$이므로 직사각형의 (가로, 세로)는 (1, 5), (2, 4), (3, 3), (4, 2), (5, 1)입니다.

직사각형의 세로를 회전축으로 하여 1회전시켰을 때 만들어지는 원기둥의 부피를 구해 보면 다음과 같습니다.

가로(cm)	1	2	3	4	5
세로(cm)	5	4	3	2	1
부피(cm³)	15.7	50.24	84.78	100.48	78.5

직사각형의 가로가 세로의 2배일 때 원기둥의 부피가 가장 크므로 부피가 가장 클 때는 가로가 $4\,\text{cm}$, 세로가 $2\,\text{cm}$인 직사각형을 회전시켰을 때이고 그때의 원기둥의 부피는 $100.48\,\text{cm}^3$입니다.

(2) 둘레가 $18\,\text{cm}$이므로 직사각형의 가로와 세로의 길이의 합은 $9\,\text{cm}$입니다. 직사각형의 가로가 세로의 2배일 때 원기둥의 부피가 가장 크므로 직사각형의 가로가 $6\,\text{cm}$, 세로가 $3\,\text{cm}$일 때 원기둥의 부피가 가장 큽니다.

따라서 원기둥의 부피의 최댓값은
$6\times6\times3.14\times3=339.12(\text{cm}^3)$입니다.

해결 전략
직사각형의 가로와 세로의 합이 일정한 경우 직사각형의 세로를 회전축으로 하여 1회전시켰을 때 직사각형의 가로가 세로의 2배일 때 원기둥의 부피가 가장 큽니다.

12-3. 여러 가지 입체도형의 부피

114~115쪽

1 $12\,\text{cm}^3$　　　　**2** $900\,\text{mL}$　　　　**최상위 사고력** $4\,\text{cm}$

저자 톡! 이 단원에서는 도형의 일부분이 원기둥인 여러 가지 입체도형의 부피를 구해 봅니다. 보이는 그대로의 도형의 부피를 구하려고 하면 어려울 수 있으므로 도형을 변형하거나 옮기는 등 새로운 시각으로 문제를 해결해 보도록 합니다.

1 주어진 입체도형과 똑같은 입체도형을 다음과 같이 이어 붙이면 밑면인 원의 지름이 2 cm이고, 높이가 8 cm인 원기둥이 됩니다. 이 원기둥의 부피의 절반이 주어진 입체도형의 부피가 됩니다.

해결 전략
똑같은 입체도형을 붙여서 생각합니다.

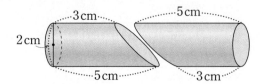

(주어진 입체도형의 부피)
=(밑면인 원의 지름이 2 cm이고, 높이가 8 cm인 원기둥의 부피)÷2
$=1 \times 1 \times 3 \times 8 \div 2 = 12(cm^3)$
따라서 입체 도형의 부피는 12 cm^3입니다.

2 원기둥의 부피를 이용하여 남아 있는 주스의 부피를 구할 수 있습니다. (주스의 부피)+(빈 공간의 부피)=(병의 부피)이고, 거꾸로 세우기 전의 병을 이용하여 주스의 부피를 구할 수 있고 거꾸로 세운 병을 이용하여 빈 공간의 부피를 구할 수 있습니다.

해결 전략
(주스의 부피)+(빈 공간의 부피)
=(병의 부피)

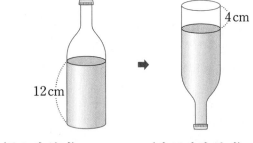

(주스의 부피)	(빈 공간의 부피)
=(병의 밑넓이)×12	=(병의 밑넓이)×4

(병의 부피)=1200(mL)이므로
(병의 밑넓이)×12+(병의 밑넓이)×4=1200,
(병의 밑넓이)×16=1200, (병의 밑넓이)=75(cm^2)
따라서 (남아 있는 주스의 부피)=75×12=900(mL)입니다.

> **다른 풀이**
> 주스가 들어 있는 부분과 빈 공간은 모두 원기둥 모양이고 밑넓이가 같으므로 두 부분의 부피의 비는 두 부분의 높이의 비와 같습니다.
> (주스의 부피) : (빈 공간의 부피)
> =(원기둥 모양의 주스의 부피) : (원기둥 모양의 빈 공간의 부피)=12 : 4=3 : 1
> 병의 부피는 1200 mL이므로 주스의 부피는 $1200 \times \frac{3}{4} = 900$(mL)입니다.

최상위
사고력

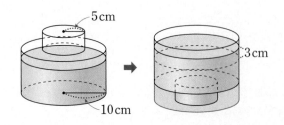

해결 전략
(올라간 물의 부피)=(색칠한 부분의 부피)

물통을 거꾸로 세웠을 때 올라간 물의 부피는 색칠한 부분의 부피와 같습니다.

(색칠한 부분의 높이)=(작은 원기둥의 높이)이고,

(올라간 물의 부피)=(색칠한 부분의 부피)이므로

$10 \times 10 \times 3.1 \times 3 = 10 \times 10 \times 3.1 \times ($작은 원기둥의 높이$) - 5 \times 5 \times 3.1 \times ($작은 원기둥의 높이$)$

$\qquad = (10 \times 10 \times 3.1 - 5 \times 5 \times 3.1) \times ($작은 원기둥의 높이$)$

(작은 원기둥의 높이)$= 10 \times 10 \times 3.1 \times 3 \div (10 \times 10 \times 3.1 - 5 \times 5 \times 3.1)$

$\qquad = 300 \times 3.1 \div (75 \times 3.1)$

$\qquad = 4(cm)$

따라서 작은 원기둥의 높이는 4 cm입니다.

---

1 $376.8 \, \text{cm}^3$ 2 20배

3 가   4 16 cm

---

1 입체도형을 반으로 잘라 다음과 같이 붙이면 밑면인 원의 지름이 4 cm

이고 높이가 $(40+20) \div 2 = 30$ cm인 원기둥을 만들 수 있습니다.

> **해결 전략**
> 주어진 모양을 잘라 옮겨서 원기둥을 만들
> 어 봅니다.

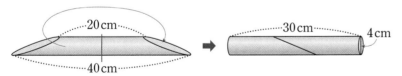

주어진 입체도형의 부피는 오른쪽 원기둥의 부피와 같으므로

(입체도형의 부피)$= 2 \times 2 \times 3.14 \times 30 = 376.8(\text{cm}^3)$입니다.

2 직사각형의 가로를 ㉠, 세로를 ㉡이라 할 때 ㉠×㉡=20이고, 직사각형의 세로를 회전

축으로 하여 1회전시켰을 때 만들어지는 원기둥에 대하여

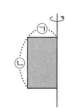

(원기둥의 부피)$= ㉠ \times ㉠ \times 3 \times ㉡ = ㉠ \times 20 \times 3 = 60 \times ㉠$

이므로 원기둥의 가로가 길수록 부피가 크고, 가로가 짧을수록 부피가 작습니다.

따라서 ㉠=20일 때 (원기둥의 부피의 최댓값)$= 60 \times ㉠ = 60 \times 20 = 1200(\text{cm}^3)$,

㉠=1일 때 (원기둥의 부피의 최솟값)$= 60 \times ㉠ = 60 \times 1 = 60(\text{cm}^3)$

이므로 원기둥의 최대 부피는 원기둥의 최소 부피의 20배입니다.

3 세 병의 부피는 모두 $1296 \, \text{cm}^3$로 같습니다.

(가의 겉넓이)$=6\times6\times3\times2+12\times3\times12=648(\text{cm}^2)$

(나의 겉넓이)$=4\times4\times3\times2+8\times3\times27=744(\text{cm}^2)$

(다의 겉넓이)$=3\times3\times3\times2+6\times3\times48=918(\text{cm}^2)$

따라서 재료를 가장 적게 사용하여 만든 가병에 음료수를 출시하였습니다.

해결 전략
겉넓이가 작을수록 재료를 적게 사용하여 만들 수 있습니다.

참고
부피가 같은 원기둥 중에서 밑면인 원의 지름과 높이가 같을 때 겉넓이가 가장 작습니다.

4 쇠 모형을 물통에 넣었을 때 처음보다 늘어난 물의 부피는 물에 잠긴 쇠 모형의 부피와 같습니다.

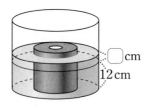

해결 전략
(물에 잠긴 쇠 모형의 부피)
$=$(처음보다 늘어난 물의 부피)

• (처음 보다 늘어난 물의 부피)$=20\times20\times3\times\square$

• (물에 잠긴 쇠 모형의 부피)$=(10\times10\times3-3\times3\times3)\times(12+\square)$

➡ $20\times20\times3\times\square=(10\times10\times3-3\times3\times3)\times(12+\square)$

$1200\times\square=3276+273\times\square$

$927\times\square=3276$

$\square=3.533\cdots(\text{cm})$

따라서 쇠 모형을 넣은 후의 물의 높이는

$12+3.533\cdots=15.533\cdots(\text{cm})$이고,

소수 첫째 자리에서 반올림하여 나타내면 $16 \, \text{cm}$입니다.

Review IV 도형(2)

118~120쪽

1
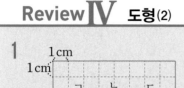

2

3 $81.64 \, \text{cm}^2$

4 $972 \, \text{cm}^3$

5 ①, ④, ⑦

6 부피: $120 \, \text{cm}^3$, 겉넓이: $150 \, \text{cm}^2$

1 원뿔의 겉면을 모선 ㄱㄷ을 따라 잘라서 얻은 옆면의 전개도에서 점 ㄷ과 점 ㄴ을 잇는 선분이 최단경로입니다.

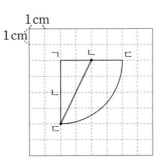

해결 전략
옆면의 전개도에서 점 ㄷ과 점 ㄴ의 위치를 찾아봅니다.

보충 개념
(옆면인 부채꼴의 중심각의 크기)
$=360° \times \dfrac{1}{4} = 90°$

2 회전체의 회전축을 먼저 찾은 후 회전 시킨 평면도형을 찾습니다.

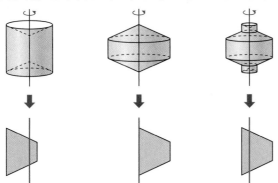

3 원기둥을 밑면과 평행한 평면으로 한 번 자를 때마다 원기둥의 겉넓이는 (밑면의 넓이)×2만큼 늘어납니다.

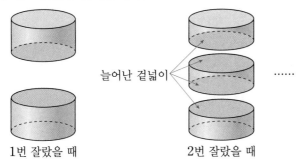

늘어난 겉넓이

1번 잘랐을 때　　2번 잘랐을 때

(잘린 원기둥의 겉넓이의 합)

＝(처음 원기둥의 겉넓이)＋(늘어난 겉넓이의 합)

＝$(1 \times 1 \times 3.14 \times 2 + 1 \times 2 \times 3.14 \times 2) + (1 \times 1 \times 3.14 \times 2 \times 10)$

＝$18.84 + 62.8$

＝$81.64 (\text{cm}^2)$

해결 전략
(잘린 원기둥의 겉넓이의 합)
＝(처음 원기둥의 겉넓이)
　＋(늘어난 겉넓이)

4 직사각형의 넓이가 $18\,\text{cm}^2$이므로 직사각형의 (가로, 세로)는 (1, 18), (2, 9), (3, 6), (6, 3), (9, 2), (18, 1)입니다.

직사각형의 세로를 회전축으로 하여 1회전시켰을 때 만들어지는 원기둥의 부피를 구해 보면 다음과 같습니다.

해결 전략
직사각형의 가로와 세로가 될 수 있는 경우를 찾아 원기둥의 부피를 구해 봅니다.

가로(cm)	1	2	3	6	9	18
세로(cm)	18	9	6	3	2	1
부피(cm³)	54	108	162	324	486	972

따라서 부피가 가장 큰 원기둥의 부피는 $972\,\text{cm}^3$입니다.

5 ② 회전축에 수직으로 자릅니다.

③ 회전축과 평행하게 자릅니다.

⑤ 두 밑면을 모두 지나도록 옆면을 비스듬히 자릅니다.

⑥ 옆면을 비스듬히 자릅니다.

⑧ 한 밑면을 지나도록 옆면을 비스듬히 자릅니다.

① 원기둥의 높이가 밑면의 지름보다 길기 때문에 단면의 모양이 정사각형은 될 수 없습니다.

④, ⑦ 원기둥의 단면이 될 수 있는 도형은 선분의 개수가 0개, 1개, 4개인 도형입니다.

6 회전축의 양쪽에 도형이 있는 경우 더 큰 도형 하나를 회전 시킨 것과 같습니다.

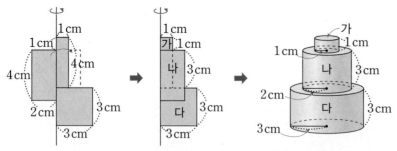

(회전체의 부피)＝(가의 부피)＋(나의 부피)＋(다의 부피)

$\qquad = 1 \times 1 \times 3 \times 1 + 2 \times 2 \times 3 \times 3 + 3 \times 3 \times 3 \times 3$

$\qquad = 3 + 36 + 81 = 120(\text{cm}^3)$

(회전체의 겉넓이)＝(다의 밑넓이)×2＋(가의 옆넓이)＋(나의 옆넓이)＋(다의 옆넓이)

$\qquad = (3 \times 3 \times 3) \times 2 + 1 \times 2 \times 3 \times 1 + 2 \times 2 \times 3 \times 3 + 3 \times 2 \times 3 \times 3$

$\qquad = 54 + 6 + 36 + 54 = 150(\text{cm}^2)$

V 규칙성과 문제해결력

이 단원에서는 가짜 금화 찾기, 효율적으로 계획하여 문제 상황 해결하기, 카드 바꾸기, 동전 뒤집기와 같이 생소한 주제를 다루게 됩니다. 문제 안에 문제를 해결하기 위한 실마리가 들어있고, 문제의 조건대로 여러 번 시행을 하다보면 규칙을 찾아 문제를 손쉽게 해결할 수 있습니다. 또한 문제 해결 방법이 떠오르지 않을 때는 문제를 간단하게 바꾸어 단순화 전략을 이용해 문제를 풀어봅니다.

13 양팔저울과 가짜 금화에서는 여러 개의 금화 중에서 하나의 가짜 금화가 섞여 있을 때 양팔저울을 사용하는 최소 횟수를 구합니다. 이때 가짜 금화의 무게가 무거운지 가벼운지 조건이 주어져 있을 때와 조건이 주어져 있지 않을 때로 나누어 알아봅니다.

14 최적 설계에서는 주어진 상황에서 시간을 최대로 단축하거나 이동할 수 있는 최대 거리를 구해 봅니다.

15 바꾸기와 뒤집기에서는 카드나 동전을 여러 가지 방법으로 섞고 뒤집어서 목표하는 배열로 바꾸기 위한 최소 횟수를 구해 봅니다.

최상위 사고력 **13** 양팔저울과 가짜 금화

13-1. 무게가 가벼운 금화 찾기
122~123쪽

1 예 금화 ①, ②의 무게를 비교해 ①>②인 경우 ②가 가짜 금화, ①=②인 경우 ③이 가짜 금화, ①<②인 경우 ①이 가짜 금화입니다.

2 3번
최상위 사고력   5번

저자 톡! 이 단원에서는 여러 개의 금화 중에서 한 개의 가짜 금화가 섞여 있을 때 양팔저울을 최소한으로 사용하여 가벼운 가짜 금화를 찾아내는 방법을 알아보도록 합니다. 다른 금화보다 무게가 가벼운 가짜 금화를 찾을 때, 금화를 놓을 수 있는 자리의 수에 주목하여 학습합니다.

1 금화 ①과 ②의 무게를 비교합니다.

양팔저울	결과	가짜 금화
① ②	①>②	②
	①=②	③
	①<②	①

> **해결 전략**
> 3개의 금화 중 2개를 골라 양팔저울에 놓고 무게를 비교합니다.

2 금화 11개(①~⑪)를 4개, 4개, 3개씩 세 묶음으로 나눈 후 4개씩 있는 두 묶음의 무게를 먼저 비교합니다.

> **해결 전략**
> 금화 11개를 세 묶음으로 나눕니다.

양팔저울	1번	2번	3번	가짜 금화
	①②③④=⑤⑥⑦⑧	⑨=⑩		⑪
		⑨>⑩		⑩
		⑨<⑩		⑨
	①②③④<⑤⑥⑦⑧	①②<③④	①<②	①
			①>②	②
		①②>③④	③<④	③
			③>④	④
	①②③④>⑤⑥⑦⑧	⑤⑥<⑦⑧	⑤<⑥	⑤
			⑤>⑥	⑥
		⑤⑥>⑦⑧	⑦<⑧	⑦
			⑦>⑧	⑧

따라서 무게가 가벼운 가짜 금화를 찾으려면 양팔저울을 최소 3번 사용해야 합니다.

최상위 사고력 ① 나사 99개를 33개씩 세 묶음 (가, 나, 다)로 나눕니다.

가, 나 두 묶음의 무게를 비교합니다.

가＝나이면 다에 가벼운 나사가 있고,

가＞나이면 나에 가벼운 나사가 있으며,

가＜나이면 가에 가벼운 나사가 있습니다.

② 가벼운 나사가 들어있는 묶음의 나사 33개를 다시 11개씩 3개의 묶음 (라, 마, 바)로 나눕니다.

라, 마 두 묶음의 무게를 비교합니다.

라＝마이면 바에 가벼운 나사가 있고,

라＞마이면 마에 가벼운 나사가 있으며,

라＜마이면 라에 가벼운 나사가 있습니다.

③ 가벼운 나사가 들어있는 묶음의 나사 11개를 다시 4개, 4개, 3개씩 3개의 묶음 (사, 아, 자)로 나눕니다.

사, 아 두 묶음의 무게를 비교합니다.

사＝아이면 자에 가벼운 나사가 있고,

사＞아이면 아에 가벼운 나사가 있으며,

사＜아이면 사에 가벼운 나사가 있습니다.

④ 가벼운 나사가 3개의 묶음에 들어 있으면 양팔저울을 최소 1번 사용해도 되지만, 4개의 묶음에 들어 있으면 양팔저울을 최소 2번 사용해야 합니다.

따라서 불량 나사를 찾기 위해서는 양팔저울을 최소 $1+1+1+2=5$(번) 사용해야 합니다.

해결 전략
나사를 세 묶음으로 나누어 두 묶음의 무게를 비교합니다.

참고
여러 개의 금화 중에서 무게가 다른 가짜 금화 한 개를 찾을 때 양팔저울을 사용하는 최소 횟수를 총 금화의 개수에 따라 나누어 구할 수 있습니다.

개수	최소 횟수
2~3개	1회
4~9개	2회
10~27개	3회
28~81개	4회
82~243개	5회
⋮	⋮

금화를 세 묶음으로 나누어 비교하면 양팔저울을 최소 횟수로 사용해 가짜 금화를 찾을 수 있음을 이용합니다.

① 양팔저울을 1번 사용하면 3개의 금화 중 하나가 가짜라는 것을 찾아낼 수 있습니다.

② 양팔저울을 2번 사용하면 $3 \times 3 = 9$(개)의 금화 중 하나가 가짜라는 것을 찾아낼 수 있습니다.

　[9개의 금화를 3개씩 세 묶음으로 나눈 다음 두 묶음을 골라 양팔저울을 한 번 사용하여 가짜 금화가 들어있는 묶음을 찾을 수 있고,
　가짜 금화가 들어있는 묶음의 3개의 금화 중에서 양팔저울을 한 번 더 사용하여 가짜 금화를 찾을 수 있습니다.]

③ 양팔저울을 3번 사용하면 $3 \times 3 \times 3 = 27$(개)의 금화 중 하나가 가짜라는 것을 찾아낼 수 있습니다.

　[27개의 금화를 9개씩 세 묶음으로 나눈 다음 두 묶음을 골라 양팔저울을 한 번 사용하여 가짜 금화가 들어있는 묶음을 찾을 수 있고,
　가짜 금화가 들어있는 묶음의 9개의 금화를 다시 3개씩 세 묶음으로 나눈 다음 두 묶음을 골라 양팔저울을 한 번 사용하여 가짜 금화가
　들어있는 묶음을 찾을 수 있고, 가짜 금화가 들어있는 묶음의 3개의 금화 중에서 양팔저울을 한 번 더 사용하여 가짜 금화를 찾을 수 있습니다.]

이때 기준이 되는 수는 곱해진 3의 개수입니다. 양팔저울을 2번 사용하면 $3 \times 3 = 9$(개)의 금화 중 하나가 가짜라는 것을 찾아낼 수 있고,
양팔저울을 3번 사용하면 $3 \times 3 \times 3 = 27$(개)의 금화 중 하나가 가짜라는 것을 찾아낼 수 있습니다.
따라서 양팔저울을 5번 사용하면 최대 $3 \times 3 \times 3 \times 3 \times 3 = 243$(개)의 금화 중에서 가짜 금화를 찾아낼 수 있습니다.

13-2. 무게를 알 수 없는 금화 찾기

124~125쪽

1 예

1번	2번	가짜 금화
①=②	①=③	④
	①>③	③
	①<③	③
①>②	①=③	②
	①>③	①
①<②	①=③	②
	①<③	①

최상위 사고력 A

1번	2번	3번	가짜 금화	가짜 금화의 무게
①②③=④⑤⑥	⑦=⑧	①>⑨	⑨	가볍습니다.
		①<⑨	⑨	무겁습니다.
	⑦>⑧	⑦=①	⑧	가볍습니다.
		⑦>①	⑦	무겁습니다.
	⑦<⑧	⑦=①	⑧	무겁습니다.
		⑦<①	⑦	가볍습니다.
①②③>④⑤⑥	①④=②⑤	⑦=③	⑥	가볍습니다.
		⑦<③	③	무겁습니다.
	①④>②⑤	⑦=①	⑤	가볍습니다.
		⑦<①	①	무겁습니다.
	①④<②⑤	⑦=②	④	가볍습니다.
		⑦<②	②	무겁습니다.
①②③<④⑤⑥	①②③>④⑤⑥인 경우와 같은 방법으로 찾을 수 있습니다.			

최상위 사고력 B 2번

저자 톡! 앞에서와 달리 무게가 무거운지 가벼운지 알 수 없는 가짜 금화 1개를 찾는 문제는 좀 더 복잡하므로 찾는 과정에 중점을 두어 학습하도록 합니다.

1 가짜 금화의 무게가 진짜 금화보다 가벼운지 무거운지 모른다고 할 때 다음과 같이 양팔저울을 최소 2번 사용하면 가짜 금화를 찾을 수 있습니다.

1번	2번	가짜 금화
①=②	①=③	④ ⟶ 가벼운지 무거운지 알 수 없습니다.
	①>③	③ ⟶ 가볍습니다.
	①<③	③ ⟶ 무겁습니다.
①>②	①=③	② ⟶ 가볍습니다.
	①>③	① ⟶ 무겁습니다.
①<②	①=③	② ⟶ 무겁습니다.
	①<③	① ⟶ 가볍습니다.

└─ ①<③이 될 수는 없습니다.
(②<①<③이 되어 금화 3개의 무게가 다릅니다.)

주의

2번째에 ①과 ④를 비교하여 가짜 금화를 찾을 수도 있습니다.

보충 개념

①>②인 경우 어떤 금화가 가짜 금화인지 알 수 없으므로 ① 또는 ②를 다른 금화와 한 번 더 확인해야 합니다.

최상위 사고력 A 금화 9개를 3개씩 세 묶음으로 나눈 후 이 중 두 묶음의 무게를 비교합니다.

두 묶음의 무게가 같으면 나머지 묶음에 있는 금화 3개 중에 가짜 금화가 있고, 두 묶음의 무게가 다르면 이 두 묶음의 금화 중에 가짜 금화가 있습니다.

⑦<①이 될 수는 없습니다.
(⑧<⑦<①이 되어 금화 3개의 무게가 다릅니다.)

1번	2번	3번	가짜 금화	가짜 금화의 무게
①②③=④⑤⑥	⑦=⑧	①>⑨	⑨	가볍습니다.
		①<⑨	⑨	무겁습니다.
	⑦>⑧	⑦=①	⑧	가볍습니다.
		⑦>①	⑦	무겁습니다.
	⑦<⑧	⑦=①	⑧	무겁습니다.
		⑦<①	⑦	가볍습니다.
①②③>④⑤⑥	①④=②⑤	⑦=③	⑥	가볍습니다.
		⑦<③	③	무겁습니다.
	①④>②⑤	⑦=①	⑤	가볍습니다.
		⑦<①	①	무겁습니다.
	①④<②⑤	⑦=②	④	가볍습니다.
		⑦<②	②	무겁습니다.
①②③<④⑤⑥	①②③>④⑤⑥인 경우와 같은 방법으로 찾을 수 있습니다.			

해결 전략

①②③>④⑤⑥일때, ②와 ④의 위치를 바꾸어 ①④와 ②⑤의 무게를 비교합니다.

보충 개념

①②③>④⑤⑥인 경우
⑦, ⑧, ⑨는 진짜 금화입니다.

최상위 사고력 B 가짜 금화를 찾아 내는 것이 아니라 가짜 금화의 무게가 가벼운지 무거운지만 알아내면 되므로 금화 41개를 가(20개), 나(20개), 다(1개) 세 묶음으로 나누어 비교합니다.

┌─ 가와 나의 무게가 같지 않은 경우 가를 10개씩 두 묶음 ㉠, ㉡으로 나누어 비교합니다.

1번	2번	가짜 금화가 있는 묶음	가짜 금화의 무게
가=나	가<다	다	무겁습니다.
	가>다	다	가볍습니다.
가<나	㉠=㉡	나	무겁습니다.
	㉠>㉡ (㉠<㉡)	가	가볍습니다.
가>나	가<나인 경우와 같은 방법으로 찾을 수 있습니다.		

┐ 가 묶음에서 1개를 꺼내 다와 비교합니다.

따라서 가짜 금화가 진짜 금화보다 가벼운지 무거운지 알기 위해서는 양팔저울을 최소 2번 사용해야 합니다.

1 5번	**2** 8번	최상위 사고력 (1) 11번　(2) 14번

저자 특! 이 단원에서는 양팔저울을 최소로 사용하여 무게가 서로 다른 구슬의 무게의 순서를 정하는 방법을 알아봅니다. 최소 사용 횟수를 구하기 위해서는 가장 운이 나쁜 경우까지 생각해야 합니다. 구슬의 수를 3개, 4개, 5개……로 하나씩 늘려가며 구해보도록 합니다.

1 구슬 4개를 ㉮, ㉯, ㉰, ㉱라고 하고 무게의 순서를 정해 봅니다.
　① 양팔저울을 사용하여 구슬 3개(㉮, ㉯, ㉰)의 무게의 순서를 정하는 최소 횟수

> **해결 전략**
> 먼저 구슬 3개의 무게의 순서를 정하기 위해서는 양팔저울을 최소 몇 번 사용해야 하는지 알아봅니다.

1번	2번	3번	무게의 순서	양팔저울을 사용한 횟수
㉮<㉯	㉮>㉰		㉰<㉮<㉯	2번
	㉮<㉰	㉯>㉰	㉮<㉰<㉯	3번
		㉯<㉰	㉮<㉯<㉰	

양팔저울을 두 번 사용하여 무게의 순서를 알아낼 수도 있지만 양팔저울을 세 번 사용해야 알아낼 수 있는 경우도 있습니다.
따라서 무게가 서로 다른 3개의 무게의 순서를 정하려면 양팔저울을 최소 3번 사용해야 합니다.

　② 양팔저울을 사용하여 구슬 4개(㉮, ㉯, ㉰, ㉱)의 무게의 순서를 정하는 최소 횟수
　　　　　　　　　　　　┌→ 3번 사용했습니다.
구슬 3개의 무게의 순서가 ㉮<㉯<㉰라고 할 때 ㉱를 ㉯와 먼저 비교하면 양팔저울을 최소 2번 더 사용하여 구슬 4개의 무게의 순서를 정할 수 있습니다.

4번	5번	무게의 순서	양팔저울을 사용한 횟수
㉱<㉯	㉱<㉮	㉱<㉮<㉯<㉰	5번
	㉱>㉮	㉮<㉱<㉯<㉰	
㉱>㉯	㉱<㉰	㉮<㉯<㉱<㉰	
	㉱>㉰	㉮<㉯<㉰<㉱	

따라서 구슬 4개의 무게의 순서를 정하려면 양팔저울을 최소 5번 사용해야 합니다.

> **보충 개념**
> 만약 ㉱를 ㉮ 또는 ㉰와 먼저 비교하면 양팔저울을 최대 3번 더 사용하여 구슬 4개의 무게의 순서를 정할 수 있습니다.
>
> | 예 | 4번 | 5번 | 6번 | 무게의 순서 |
> |---|---|---|---|---|
> | | ㉱>㉮ | ㉱>㉯ | ㉱>㉰ | ㉮<㉯<㉰<㉱ |

> **참고**
> 구슬 4개의 무게의 순서를 정할 때 앞에서 가짜 금화를 찾았던 방법과 같이 2개씩 묶음으로 짝을 지어 무게를 잴 수도 있지만 양팔저울을 사용하는 횟수만 늘어날 뿐입니다.
> 예를 들면 ㉮㉯>㉰㉱인 경우 ㉮가 가장 가벼울 수도 있습니다.

2 사탕 5개를 ㉮, ㉯, ㉰, ㉱, ㉲라고 하고 무게의 순서를 정해 봅니다.
사탕 4개의 무게의 순서가 ㉮<㉯<㉰<㉱라고 할 때 ㉲를 ㉯ 또는 ㉰와 먼저 비교하면 양팔저울을 최소 3번 더 사용하여 사탕 5개의 무게의 순서를 정할 수 있습니다.

> **보충 개념**
> 사탕 4개의 무게의 순서를 정하려면 양팔저울을 최소 5번 사용해야 합니다.

6번	7번	8번	무게의 순서	양팔저울을 사용한 횟수
㉲<㉯	㉲<㉮		㉲<㉮<㉯<㉰<㉱	7번
	㉲>㉮		㉮<㉲<㉯<㉰<㉱	
㉲>㉯	㉲<㉰		㉮<㉯<㉲<㉰<㉱	
	㉲>㉰	㉲<㉱	㉮<㉯<㉰<㉲<㉱	8번
		㉲>㉱	㉮<㉯<㉰<㉱<㉲	

따라서 사탕 5개의 무게의 순서를 정하려면 양팔저울을 최소 8번 사용해야 합니다.

> **보충 개념**
> 만약 ㉲를 ㉮ 또는 ㉱와 먼저 비교하면 양팔저울을 최대 4번 더 사용하여 사탕 5개의 무게의 순서를 정할 수 있습니다.
>
> **예**
>
> | 6번 | 7번 | 8번 | 9번 | 무게의 순서 |
> |---|---|---|---|---|
> | ㉲>㉮ | ㉲>㉯ | ㉲>㉰ | ㉲>㉱ | ㉮<㉯<㉰<㉱<㉲ |

최상위 사고력 민우네 반 학생 7명을 ㉮, ㉯, ㉰, ㉱, ㉲, ㉳, ㉴라고 하고 몸무게의 순서를 정해 봅니다.

> **보충 개념**
> 학생 5명의 몸무게의 순서를 정하려면 시소를 최소 8번 타야 합니다.

(1) 학생 5명의 몸무게의 순서가 ㉮<㉯<㉰<㉱<㉲라고 할 때 ㉳를 ㉰와 먼저 비교하면 시소를 최소 3번 더 타서 학생 6명의 몸무게의 순서를 정할 수 있습니다.

9번	10번	11번	몸무게의 순서	시소를 탄 횟수
㉳<㉰	㉳<㉯	㉳<㉮	㉳<㉮<㉯<㉰<㉱<㉲	11번
		㉳>㉮	㉮<㉳<㉯<㉰<㉱<㉲	
	㉳>㉯		㉮<㉯<㉳<㉰<㉱<㉲	10번
㉳>㉰	㉳<㉱		㉮<㉯<㉰<㉳<㉱<㉲	
	㉳>㉱	㉳<㉲	㉮<㉯<㉰<㉱<㉳<㉲	11번
		㉳>㉲	㉮<㉯<㉰<㉱<㉲<㉳	

따라서 학생 6명의 몸무게의 순서를 정하기 위해서는 시소를 최소 11번 타야 합니다.

(2) 학생 6명의 몸무게의 순서가 ㉮<㉯<㉰<㉱<㉲<㉳라고 할 때 ㉴를 ㉰ 또는 ㉱와 먼저 비교하면 시소를 최소 3번 더 타서 학생 7명의 몸무게의 순서를 정할 수 있습니다.

> **보충 개념**
> 학생 6명의 몸무게의 순서를 정하려면 시소를 최소 11번 타야 합니다.

12번	13번	14번	몸무게의 순서	시소를 탄 횟수
㉴<㉱	㉴<㉯	㉴<㉮	㉴<㉮<㉯<㉰<㉱<㉲<㉳	14번
		㉴>㉮	㉮<㉴<㉯<㉰<㉱<㉲<㉳	
	㉴>㉯	㉴<㉰	㉮<㉯<㉴<㉰<㉱<㉲<㉳	
		㉴>㉰	㉮<㉯<㉰<㉴<㉱<㉲<㉳	
㉴>㉱	㉴<㉲		㉮<㉯<㉰<㉱<㉴<㉲<㉳	13번
	㉴>㉲	㉴<㉳	㉮<㉯<㉰<㉱<㉲<㉴<㉳	14번
		㉴>㉳	㉮<㉯<㉰<㉱<㉲<㉳<㉴	

따라서 학생 7명의 몸무게의 순서를 정하기 위해서는 시소를 최소 14번 타야 합니다.

1 ②, ③, ④　　　　　　　　**2** 9번

3 예 4개의 구슬 주머니 가, 나, 다, 라에서 각각 구슬을 1개, 2개, 3개, 4개씩 꺼내어 무게를 재었을 때, 무게의 합이 101 g이면 '가' 주머니가, 무게의 합이 102 g이면 '나' 주머니가, 무게의 합이 103 g이면 '다' 주머니가, 무게의 합이 104 g이면 '라' 주머니가 11 g의 구슬이 들어 있는 구슬 주머니입니다.

4 예 고르지 않은 그릇 두 개를 저울에 달았을 때, 무게가 홀수이면 고른 그릇은 수진이가 만든 것이고, 짝수이면 고른 그릇은 목화가 만든 것입니다.

---

1 금화의 개수에 따라 양팔저울을 사용하는 최소 횟수는 다음과 같습니다.

개수	최소 횟수
2~3개	1회
4~9개	2회
10~27개	3회

따라서 희수가 가지고 있는 금화의 개수가 될 수 있는 것은 ② 6개, ③ 8개, ④ 9개입니다.

> **보충 개념**
> 주어진 금화를 다음과 같이 세 묶음씩 나누어 비교합니다.
> ① (1, 1, 1)　② (2, 2, 2)　③ (3, 3, 2)
> ④ (3, 3, 3)　⑤ (4, 4, 4)

2 무게가 서로 다른 구슬 10개를 양팔저울로 2개씩 비교하여 가벼운 구슬은 제외하고 무거운 구슬만 남겨 계속 비교합니다. 다음과 같이 구슬을 2개씩 비교할 때마다 가벼운 구슬은 1개씩 제외합니다. 양팔저울을 9번 사용하면 구슬 10개 중 9개가 제외되므로 가장 무거운 구슬 1개만 남게 됩니다.

> **보충 개념**
> 운동 경기의 한 방식인 토너먼트 경기에서 우승 팀을 가리는 것과 같은 원리입니다.

> **해결 전략**
> 이 문제는 구슬 10개의 무게의 순서를 모두 정할 필요 없이 가장 무거운 구슬만 찾으면 되는 문제입니다. 따라서 양팔저울을 사용하는 횟수는 줄어들게 됩니다.

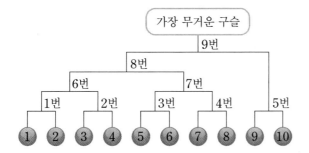

> **주의**
> 묶음으로 비교하지 않도록 주의합니다.
> 예를 들면 ①이 가장 무거워도
> ①②③ < ④⑤⑥일 수 있습니다.

따라서 양팔저울을 최소 9번 사용하면 구슬 10개 중에서 가장 무거운 구슬을 찾을 수 있습니다.

> **참고**
> 토너먼트 경기에서는 한 경기마다 한 팀이 탈락하고, 최종적으로 우승팀 이외의 다른 팀은 모두 탈락합니다.
> 따라서 ■팀이 경기하는 경우, 우승팀을 가리기 위해 경기해야 하는 횟수는 ■ ─ 1(번)입니다.

3 4개의 구슬 주머니 가, 나, 다, 라에서 구슬을 각각 1개, 2개, 3개, 4개씩 꺼내어 저울에 달아 봅니다.

- 11 g의 구슬이 담긴 구슬 주머니가 가인 경우
  $11+10\times2+10\times3+10\times4=101$(g)
- 11 g의 구슬이 담긴 구슬 주머니가 나인 경우
  $10+11\times2+10\times3+10\times4=102$(g)
- 11 g의 구슬이 담긴 구슬 주머니가 다인 경우
  $10+10\times2+11\times3+10\times4=103$(g)
- 11 g의 구슬이 담긴 구슬 주머니가 라인 경우
  $10+10\times2+10\times3+11\times4=104$(g)

해결 전략
4개의 구슬 주머니에서 각각 다른 개수의 구슬을 꺼낸 다음 한꺼번에 무게를 달아 봅니다.

4 고르지 않은 그릇 두 개를 저울에 달아 봅니다. 이때 수진이가 만든 그릇과 목화가 만든 그릇의 무게는 1 g 차이가 나므로 두 사람이 만든 그릇의 무게가 하나는 홀수이고 다른 하나는 짝수입니다.

- 수진이가 만든 그릇을 고른 경우: 고르지 않은 두 그릇의 무게가 서로 다릅니다.
  (수진이가 만든 그릇 1개의 무게)+(목화가 만든 그릇 1개의 무게)
  =(홀수)
- 목화가 만든 그릇을 고른 경우: 고르지 않은 두 그릇의 무게가 서로 같습니다.
  (수진이가 만든 그릇 2개의 무게)=(짝수)

해결 전략
홀수와 짝수의 성질을 이용합니다.
(홀수)+(짝수)=(홀수)
(짝수)+(홀수)=(홀수)
(홀수)+(홀수)=(짝수)
(짝수)+(짝수)=(짝수)

최상위 사고력 **14** **최적 설계**

14-1. 효율적으로 계획하기(1)
130~131쪽

1 예 11분을 잴 수 있는 모래시계와 7분을 잴 수 있는 모래시계를 동시에 뒤집은 뒤 7분을 잴 수 있는 모래시계가 모두 떨어지면 그때부터 11분 짜리로 시간을 잽니다.

2 10분   최상위 사고력 (1) 15000 km   (2) 25000 km

저자 톡! 프라이팬에 빵을 주어진 개수만큼 올려놓을 때 빵을 굽는 시간을 최대한 단축하기 위한 방법, 수명이 있는 자전거 타이어 몇 개로 이동할 수 있는 최대 거리를 구하는 방법 등 생소하지만 재미있는 상황에서 문제를 효율적으로 해결하는 방법을 알아봅니다. 고정적인 사고의 틀을 벗어나 창의적으로 생각하여 문제를 해결보도록 합니다.

1 [방법 1] 11분을 잴 수 있는 모래시계와 7분을 잴 수 있는 모래시계를 동시에 뒤집은 뒤 7분을 잴 수 있는 모래시계가 모두 떨어지면 그때부터 11분 짜리로 시간을 잽니다.

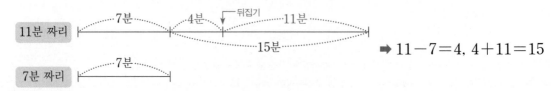

➡ $11-7=4$, $4+11=15$

[방법 2] 11분을 잴 수 있는 모래시계와 7분을 잴 수 있는 모래시계를 동시에 뒤집은 뒤 7분을 잴 수 있는 모래시계가 다 떨어지면 다시 뒤집습니다. 11분을 잴 수 있는 모래시계가 다 떨어질 때까지 7분을 잴 수 있는 모래시계로 4분을 잰 것입니다. 그때 7분을 잴 수 있는 모래시계를 다시 뒤집으면 4분만큼 더 시간을 잴 수 있습니다.

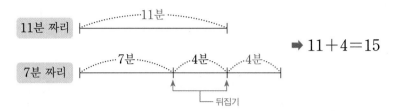

➡ 11+4=15

2 생선 5마리를 가, 나, 다, 라, 마라고 하고 문제를 해결합니다.
생선을 구울 때는 생선 한 마리의 앞, 뒤를 차례로 굽지 않고 다음과 같이 구우면 남는 자리가 생기지 않고 생선 5마리를 최소 시간으로 구울 수 있습니다.

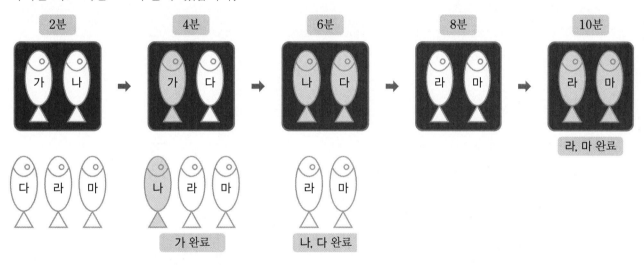

따라서 생선 5마리를 굽는데 최소 10분이 걸립니다.

최상위 사고력 (1) 바퀴 2개를 바꾸지 않고 계속 타면 10000 km까지 달릴 수 있습니다. 바퀴 3개를 가, 나, 다라고 할 때 다음과 같이 바퀴를 갈아 끼우면 최대 15000 km까지 이동할 수 있습니다.

해결 전략
자전거 바퀴는 한 번에 2개가 사용되므로 모든 바퀴의 수명을 남김없이 다할 때까지 사용하는 방법을 찾습니다.

예)
이동 거리	5000 km	10000 km	15000 km
앞바퀴	가	가	나
뒷바퀴	나	다	다

(2) (1)에서 바퀴 3개로 최대 15000 km까지 이동할 수 있었고 나머지 바퀴 2개로 최대 10000 km를 이동할 수 있으므로 최대 25000 km까지 이동할 수 있습니다. 바퀴 5개를 가, 나, 다, 라, 마라고 할 때 다음과 같이 바퀴를 갈아 끼우면 최대 25000 km까지 이동할 수 있습니다.

예)
이동 거리	5000 km	10000 km	15000 km	25000 km
앞바퀴	가	가	나	라
뒷바퀴	나	다	다	마

1 4과목　　　　**2** 14분　　　　^{최상위}사고력 27분

저자 톡! 이 단원에서는 요리하기, 청소하기 등 실생활과 관련된 있을 법한 상황을 이용하여 시간을 최대한 단축하는 방법을 알아봅니다. 주어진 상황의 조건은 무엇인지 파악하고 나올 수 있는 모든 경우를 하나씩 따져가며 시간을 효율적으로 사용하는 방법을 알아보도록 합니다.

1 최대한 많은 과목을 들으려면 아래의 시간표에서 일찍 시작하는 과목을 듣거나 시간이 짧은 과목을 선택해 듣는 등 기준을 정하여 과목을 다양하게 선택해 봅니다.

강좌명	시작 시각	끝나는 시각	수업 시간
한식조리	6시	12시	6시간
영어 스킬업	11시	15시	4시간
키 성장 체조	8시	11시	3시간
언어발달	7시	10시	3시간
심리치료	11시	13시	2시간
초등발레	9시	12시	3시간
배드민턴	18시	20시	2시간
스토리텔링 명화	15시	19시	4시간
니하오 중국어	14시	17시	3시간

• 가장 일찍 시작하는 과목을 우선 순위로 정하는 경우

강좌명	시작 시각	끝나는 시각
한식조리	6시	12시
니하오 중국어	14시	17시
배드민턴	18시	20시

• 시간이 가장 짧은 과목을 우선 순위로 정하는 경우

강좌명	시작 시각	끝나는 시각
언어발달	7시	10시
심리치료	11시	13시
니하오 중국어	14시	17시
배드민턴	18시	20시

→ 또는 키 성장 체조(8시~11시)

따라서 최대 4과목까지 들을 수 있습니다.

2 멸치육수를 끓이고, 물을 끓이는 동안 다른 일을 할 수 있습니다.

해결 전략
동시에 진행할 수 있는 일을 생각해 봅니다.

멸치육수 끓이기(10분)
0　　　　　　　　　　　　10(분)

양념장　완성하기
만들기(2분)　(1분)

야채 씻기(3분)　야채 채썰기(4분)　야채 볶기(4분)
0　　　3　　　7　　　11　　13　14(분)

물 끓이기(3분)　소면 삶기(3분)
0　　　3　　　6(분)

따라서 14분만에 요리할 수 있습니다.

^{최상위}사고력 진아는 기다리는 시간이 없으므로 빗자루로 방을 쓰는 시간은
6+9+4=19(분)으로 정해져 있습니다.
동생은 진아가 방을 쓸고 있는 동안 기다리고 있어야 하므로 동생이 기다리는 시간이 최소가 되도록 순서를 정하여 방을 청소해야 합니다.
다음과 같이 6가지 방법으로 생각합니다.

해결 전략
동생이 기다리는 시간이 짧아야 합니다.

① 작은 방 → 큰 방 → 거실

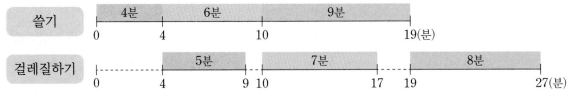

➡ 4+6+9+8=27(분)

② 작은 방 → 거실 → 큰 방

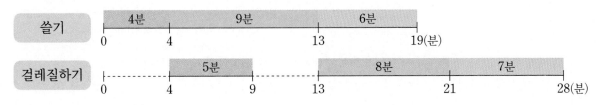

➡ 4+9+8+7=28(분)

③ 큰 방 → 작은 방 → 거실

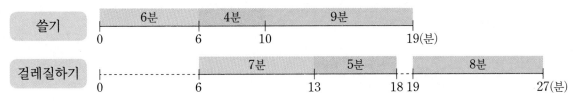

➡ 6+4+9+8=27(분)

④ 큰 방 → 거실 → 작은 방

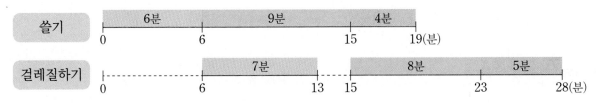

➡ 6+9+8+5=28(분)

⑤ 거실 → 작은 방 → 큰 방

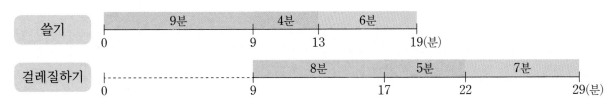

➡ 9+8+5+7=29(분)

⑥ 거실 → 큰 방 → 작은 방

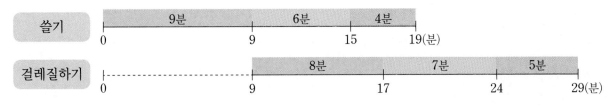

➡ 9+8+7+5=29(분)

따라서 청소를 최대한 빨리 끝내는 데 걸리는 시간은 27분입니다.

1　예 병사 2명이 같이 떠난 후 2일 후 40 km 지점에서 병사 1은 병사 2에게 식량 2일치를 주고 다시 마을로 돌아옵니다. 병

　사 2는 2일 후 다시 식량 6일치를 가지게 되므로 남은 거리인 120 km를 무사히 걸어가 부대로 복귀할 수 있습니다.

2　20일　　　　　　　　　　　　　　　　　　　　최상위
　　　　　　　　　　　　　　　　　　　　　　　　사고력 3명

저자 톡!　제한된 식량이나 물을 가지고 최대 거리를 이동하는 방법을 알아보는 내용입니다. 문제를 이해하기 어려울 수 있으므로 그림을 그려 가며 문제를 풀어 보고, 미처 생각하지 못한 부분은 없는지 되돌아보며 해결해 보도록 합니다.

1　① 하루치 식량으로 20 km를 걸을 수 있으므로 $160 \div 20 = 8$, 8일치
　　식량을 가지고 있어야 병사가 무사히 부대로 복귀할 수 있습니다. 한
　　사람당 음식은 최대 6일치까지 가져갈 수 있으므로 다른 병사와 같이
　　출발하여 출발한지 이틀째까지 같이 갑니다.

해결 전략
병사 두 명이 같이 출발합니다.

　② 6일치 식량을 가지고 출발했다가 2일 후 병사 1은 병사 2에게 이틀
　　치 식량을 주고 출발점으로 돌아갑니다.

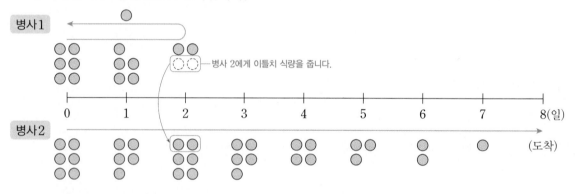

2　하루에 10 km를 걸을 수 있으므로 $100 \div 10 = 10$, 물 10병을 가지고
　있어야 여행가가 사막을 통과할 수 있습니다. 여행가는 물을 최대 7병까
　지 가져갈 수 있으므로 물을 어느 지점에 놓고 출발점으로 되돌아가서
　물을 더 가져오는 것을 반복하면서 출발점에서부터 30 km 지점에 물 7
　병을 가지고 있어야 합니다.

해결 전략
여행가는 물을 어느 장소에 놓고 출발점으로 되돌아가 물을 더 가져올 수 있습니다.

　① 물 6병을 가지고 출발하여 20 km 지점에 물 2병을 놓고 출발점으로 되돌아갑니다. ➡ 4일
　② 물 7병을 가지고 출발하여 30 km 지점에 물 1병을 놓고 출발점으로 되돌아갑니다. ➡ 6일
　③ 물 7병을 가지고 출발하여 20 km 지점에서 물 2병을 받고 30 km 지점에서 물 1병을 더 받아서 물 7병으로
　　100 km 지점까지 갑니다. ➡ 10일

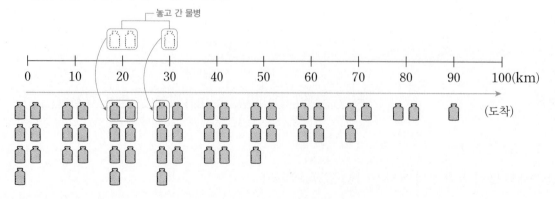

따라서 여행가 혼자 사막을 통과하려면 최소 $4+6+10=20$(일)이 걸립니다.

최상위
사고력 사막을 지나가는데 8일이 걸리므로 물 8병이 있어야 사막을 통과할 수 있습니다. 한 사람당 물을 최대 5병까지만
가져갈 수 있으므로 동료가 1명, 2명, 3명……인 경우를 차례로 생각해 봅니다.

① 동료 1명과 같이 가는 경우

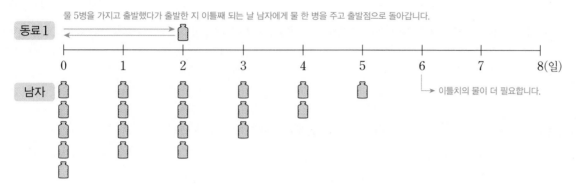

② 동료 2명과 같이 가는 경우

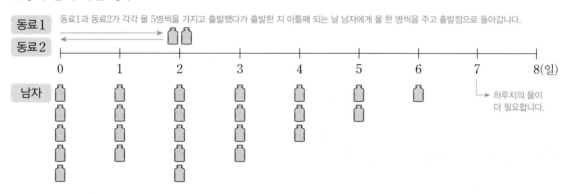

③ 동료 3명과 같이 가는 경우

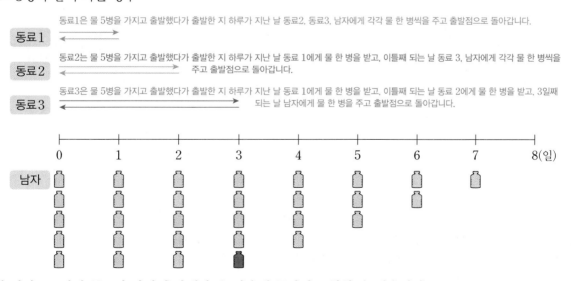

따라서 적어도 3명의 동료와 같이 출발해야 ㉯ 마을에 무사히 도착할 수 있습니다.

1 진혁 → 진우 → 진주, 10분   **2** 9분   **3** 나, 가, 다, 라

4 예 ① 나 자동차는 600 km의 연료를 싣고 시계 방향으로 출발했다가 200 km 지점에서 가 자동차에 200 km의 연료를 주고 출발점으로 돌아갑니다.

② 가 자동차는 200 km 지점에서 200 km의 연료를 받고 800 km 지점까지 이동합니다.

③ 나 자동차는 600 km의 연료를 싣고 시계 반대 방향으로 출발했다가 800 km 지점에서 가 자동차에 200 km의 연료를 주고 출발점으로 돌아갑니다. 가 자동차는 800 km 지점에서 200 km의 연료를 받고 1000 km 지점으로 이동합니다.

---

1 기다리는 시간의 합이 가장 짧으려면 화장실을 사용하는 시간이 짧은 사람이 먼저 사용하고 긴 사람이 나중에 사용해야 합니다.
따라서 진혁 → 진우 → 진주 순서로 사용하면 세 사람이 기다리는 시간의 합은 0＋3＋(3＋4)＝10(분)입니다.

> **주의**
> 가장 먼저 화장실을 사용하는 사람은 기다리는 시간이 없습니다.

2 국을 끓일 때와 전자레인지에 반찬을 데울 때는 다른 일을 동시에 진행할 수 있습니다.

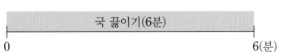

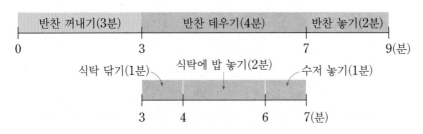

따라서 최소 3＋4＋2＝9(분)만에 점심을 차릴 수 있습니다.

> **해결 전략**
> 동시에 진행할 수 있는 일끼리 나누어 봅니다.

> **보충 개념**
> 전자레인지에 반찬을 데우는 동안 식탁을 닦고, 식탁에 밥과 수저를 놓는 일을 모두 할 수 있습니다.

3 안내판을 가장 빨리 완성하려면 현아가 기다리는 시간이 최소가 되어야 합니다. 처음에 기다리는 시간을 줄이기 위해 선미는 나 안내판의 글씨부터 써야 합니다.

① 나 → 가 → 다 → 라

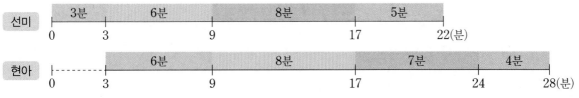

➡ 3+6+8+7+4=28(분)

② 나 → 가 → 라 → 다

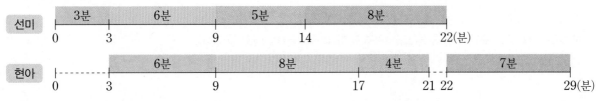

➡ 3+6+5+8+7=29(분)

③ 나 → 다 → 가 → 라

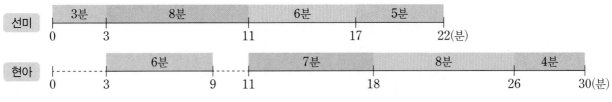

➡ 3+8+7+8+4=30(분)

④ 나 → 다 → 라 → 가

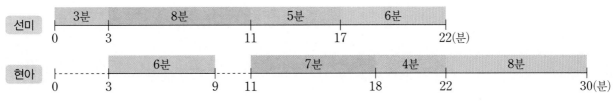

➡ 3+8+7+4+8=30(분)

⑤ 나 → 라 → 가 → 다

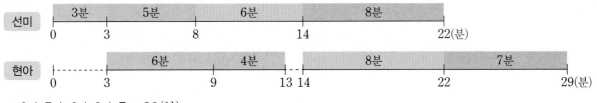

➡ 3+5+6+8+7=29(분)

⑥ 나 → 라 → 다 → 가

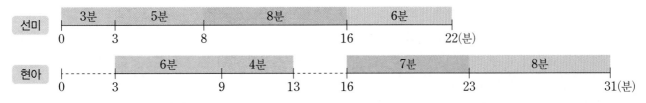

➡ 3+5+8+7+8=31(분)

따라서 나, 가, 다, 라 순서대로 안내판을 만들면 최소 28분이 걸립니다.

4 둥근 길의 길이가 1000 km이므로 가 자동차는 나 자동차에서 연료를 받아야 합니다.

① 나 자동차는 600 km의 연료를 싣고 시계 방향으로 출발했다가 200 km 지점에서 가 자동차에 200 km의 연료를 주고 출발점으로 돌아갑니다.

② 가 자동차는 200 km 지점에서 200 km의 연료를 받고 800 km 지점까지 이동합니다.

③ 나 자동차는 600 km의 연료를 싣고 시계 반대 방향으로 출발했다가 800 km 지점에서 가 자동차에 200 km의 연료를 주고 출발점으로 돌아갑니다. 가 자동차는 800 km 지점에서 200 km의 연료를 받고 1000 km 지점으로 이동합니다.

해결 전략
나 자동차는 출발 위치에서 시계 방향과 시계 반대 방향으로 모두 갈 수 있습니다.

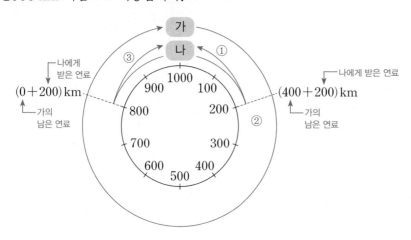

최상위 사고력 **15** 바꾸기와 뒤집기

15-1. 카드 순서 바꾸기   138~139쪽

1 5번   **2** 11번   최상위 사고력 5번

저자 톡! 일렬로 놓인 카드를 주어진 배열로 바꾸기 위해 옮겨야 할 카드의 최소 횟수를 구하는 내용입니다. 카드 2장을 선택하여 자리를 바꾸거나 이웃한 2장의 카드끼리만 자리를 바꾸는 방법이 있으므로 조건을 정확히 파악하여 해결할 수 있도록 합니다.

1 ① 왼쪽부터 차례로 1부터 9까지의 숫자 카드가 놓여야 하므로 먼저 바꿀 필요가 없는 숫자 카드를 찾아 표시합니다.

② 숫자 카드를 바꿀 때마다 반드시 1개 또는 2개 모두 정해진 자리에 들어가도록 바꿉니다.

이와 같은 방법으로 왼쪽부터 차례로 1부터 9까지의 숫자 카드가 순서대로 놓이도록 다음과 같이 바꿀 수 있습니다.

해결 전략
4 와 7 카드는 바꿀 필요가 없습니다.

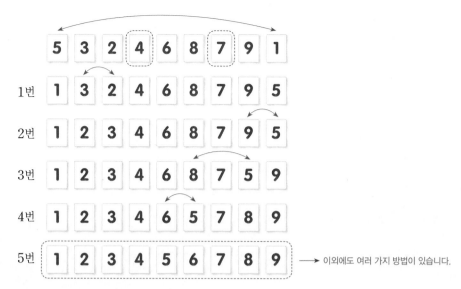

따라서 최소 5번 바꾸어야 합니다.

2 1이나 8부터 자리를 정해야 합니다. 1이나 8이 아닌 중간 숫자부터 자리를 정하게 되면 1이나 8의 자리를 정할 때 다시 자리를 바꾸어야 하므로 이동하는 횟수가 늘어납니다.
이와 같은 방법으로 왼쪽부터 차례로 1부터 8까지의 숫자 카드가 순서대로 놓이도록 다음과 같이 바꿀 수 있습니다.

따라서 최소 11번 바꾸어야 합니다.

최상위 사고력 조건 ②에 의해 세 숫자의 합이 15가 되는 경우를 먼저 구합니다.

해결 전략
조건 ②부터 이용합니다.

7 , 6 , 2 를 왼쪽에 놓는 경우와 6 , 5 , 4 를 왼쪽에 놓는 경

우 두 가지가 있습니다.

· 7 , 6 , 2 를 왼쪽에 놓는 경우	· 6 , 5 , 4 를 왼쪽에 놓는 경우
1 6 5 7 4 2	1 6 5 7 4 2
6 1 5 7 4 2	6 1 5 7 4 2
6 1 7 5 4 2	6 5 1 7 4 2
6 7 1 5 4 2	6 5 1 4 7 2
6 7 1 5 2 4	6 5 4 1 7 2 → 조건 ①에 의해 1과 7의 순서를 바꿉니다.
6 7 1 2 5 4	6 5 4 7 1 2
6 7 2 1 5 4 → 조건 ①에 의해 1과 5의 순서를 바꿉니다.	
6 7 2 5 1 4	

➡ 최소 7번   ➡ 최소 5번

따라서 최소 5번 바꾸어야 합니다.

15-2. 동전 뒤집기

140~141쪽

1 3번	2 4번	최상위 사고력 4번

저자 톡! 일렬로 놓인 동전을 모두 앞면이 나오거나 뒷면이 나오게 하기 위해 동전을 뒤집어야 할 최소 횟수를 구하는 내용입니다. 동전 3개를 선택하여 뒤집거나 이웃한 3개의 동전을 뒤집는 등 동전을 뒤집는 여러 가지 방법이 있으므로 조건을 정확히 파악하여 문제를 풀어 봅니다. 동전을 뒤집을 때 앞면 또는 뒷면의 개수의 규칙을 찾아 시행착오를 줄여 문제를 해결할 수 있도록 합니다.

1 동전 3개는 다음과 같이 서로 다른 4가지 방법으로 놓을 수 있습니다.

해결 전략
마지막 동전을 뒤집기 전에 윗면이 그림면인 동전이 3개 있어야 합니다.

각각의 경우에 동전 3개를 모두 뒤집으면 숫자면은 각각 3개 또는 1개씩 늘어나거나 줄어듭니다.

다음과 같이 동전을 최소 3번 뒤집으면 동전 5개를 모두 숫자면이 위로 오도록 만들 수 있습니다.

2 숫자면의 개수가 3개에서 7개로 늘어나야 합니다.

해결 전략
이웃한 동전 3개를 한꺼번에 뒤집으면 숫자면은 각각 3개 또는 1개씩 늘어나거나 줄어들므로 3과 1을 처음 숫자면의 개수 3개와 더하거나 빼서 7을 만들어 봅니다.

① 한 번 뒤집는 경우: 모든 동전의 숫자면이 위로 오도록 만들 수 없습니다.

② 두 번 뒤집는 경우: 3＋ 1＋3 ＝7이므로 가능한지 확인합니다.

• 처음 동전이 놓인 모양에서 한 번 뒤집어서 숫자면이 1개가 늘어나려면 그림면 2개, 숫자면 1개가 이웃하게 놓인 동전 3개를 뒤집어야 합니다. 따라서 다음과 같이 두 가지 방법으로 뒤집을 수 있습니다.

숫자면이 3개가 늘어나려면 그림면 3개가 이웃하게 놓인 동전 세 개를 뒤집어야 하는데 두 경우 모두 그림면 3개가 이웃하게 놓여있지 않으므로 두 번 뒤집어서 모든 동전의 숫자면이 위로 오도록 만들 수 없습니다.

③ 세 번 뒤집는 경우: 불가능합니다.

④ 네 번 뒤집는 경우: 3＋ 3＋1＋1－1 ＝7이므로 가능한지 확인합니다.

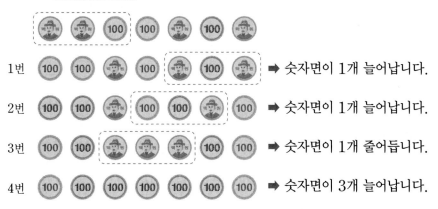

따라서 최소 4번 뒤집으면 동전 7개의 숫자면이 모두 위로 오도록 뒤집을 수 있습니다.

최상위 사고력 거꾸로 놓인 컵의 개수가 3개에서 9개로 늘어나야 합니다. 동전을 뒤집는 것과 마찬가지로 이웃한 컵 3개를 한꺼번에 뒤집으면 거꾸로 놓인 컵의 개수는 각각 3개 또는 1개씩 늘어나거나 줄어드므로 3과 1을 처음 거꾸로 놓인 컵의 개수 3개와 더하거나 빼서 9를 만들어 봅니다.

① 한 번 뒤집는 경우: 모든 컵을 거꾸로 놓이게 할 수 없습니다.

② 두 번 뒤집는 경우: 3＋ 3＋3 ＝9이므로 가능한지 확인합니다.

• 처음 컵이 놓인 모양에서 한 번 뒤집어서 거꾸로 놓인 컵이 3개가 늘어나려면 바르게 놓인 컵 3개가 이웃한 컵 3개를 뒤집어야 합니다.

해결 전략
컵을 모두 거꾸로 놓으려면 마지막으로 컵을 뒤집기 전에 이웃한 3개의 컵은 바로 놓여 있어야 합니다.

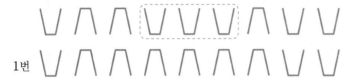

두 번째에서 바르게 놓인 컵 3개가 이웃하게 놓여있지 않으므로 두 번 뒤집어서 모든 컵을 거꾸로 놓이게 할 수 없습니다.

③ 세 번 뒤집는 경우: 불가능합니다.

④ 네 번 뒤집는 경우: 3＋ 1＋3＋3－1 ＝9이므로 가능한지 확인합니다.

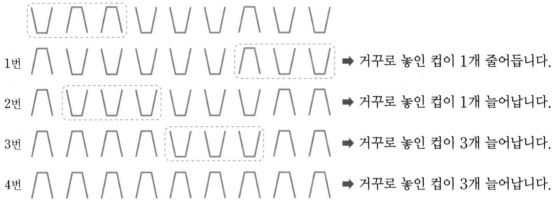

1번 ➡ 거꾸로 놓인 컵이 1개 줄어듭니다.

2번 ➡ 거꾸로 놓인 컵이 1개 늘어납니다.

3번 ➡ 거꾸로 놓인 컵이 3개 늘어납니다.

4번 ➡ 거꾸로 놓인 컵이 3개 늘어납니다.

따라서 최소 4번 뒤집으면 컵 9개를 모두 거꾸로 놓이게 할 수 있습니다.

1 5   **2** 22번   최상위 사고력 16번째

저자 톡! 주어진 방법으로 카드를 섞었을 때 정해진 자리에서 보이는 카드의 수 또는 주어진 카드가 놓이는 자리를 찾는 내용입니다. 카드를 섞는 방법이 다양하고 복잡하므로 몇 번 시행하여 규칙을 찾아보거나 카드의 수를 줄여 단순화하여 문제를 해결할 수 있도록 합니다.

1 주어진 방법으로 카드를 옮기면 3번 시행했을 때 처음과 같은 순서로 카드가 놓입니다.

> **해결 전략**
> 주어진 방법으로 차례로 해 보며 규칙을 찾아봅니다.

따라서 10번 시행했을 때 $10 \div 3 = 3 \cdots 1$이므로 1번 시행한 결과와 같습니다. 따라서 왼쪽에서 두 번째에 있는 카드에 적힌 숫자는 5입니다.

2 검은색 카드가 아래에서 4번째에 있어야 그 다음 번 카드를 섞을 때 검은색 카드가 맨 위에 놓입니다.
가운데 검은색 카드를 기준으로 위쪽에 흰색 카드 12장, 아래쪽에 흰색 카드 12장이 있습니다.

> **해결 전략**
> 검은색 카드가 맨 밑에 있을 때 6번 섞으면 검은색 카드는 밑에서 두 번째에 놓입니다.

① 3번 섞으면 맨 아래에 검은색 카드가 놓입니다.
② 25장의 카드를 6번 섞으면 검은색 카드는 아래에서 두 번째에 놓입니다.
③ 또 다시 25장의 카드를 6번 섞으면 검은색 카드는 아래에서 세 번째에 놓입니다.
④ 또 다시 25장의 카드를 6번 섞으면 검은색 카드는 아래에서 네 번째에 놓입니다.
⑤ 마지막으로 1번만 더 섞으면 검은색 카드는 맨 위에 놓입니다.
따라서 카드를 적어도 $3+6+6+6+1=22$(번) 섞어야 합니다.

카드를 1번 섞으면 다음과 같이 위의 카드 10장은 1에서부터 차례로 홀수 번째, 아래의 카드 10장은 2에서부터 차례로 짝수 번째로 순서가 바뀝니다.

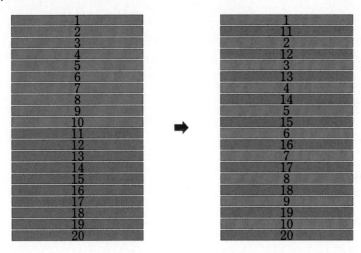

위의 카드 10장의 순서	바뀐 순서	위의 카드 10장의 순서	바뀐 순서
1	1	11	2
2	3	12	4
3	5	13	6
4	7	14	8
5	9	15	10
6	11	16	12
7	13	17	14
8	15	18	16
9	17	19	18
10	19	20	20

표를 이용하여 규칙에 맞게 위에서 3번째에 있던 카드를 10번 섞으면 다음과 같이 순서가 바뀝니다.

$3 \rightarrow 5 \rightarrow 9 \rightarrow 17 \rightarrow 14 \rightarrow 8 \rightarrow 15 \rightarrow 10 \rightarrow 19 \rightarrow 18 \rightarrow 16$

따라서 처음에 위에서 3번째에 있던 카드는 10번 섞은 후 위에서 16번째 카드가 됩니다.

1 다음과 같은 순서로 1이나 9부터 자리를 정하면 최소 18번을 바꾸어야 합니다.

	8	3	7	1	6	2	4	9	5
1번	8	3	7	1	6	2	4	5	9
2번	8	3	1	7	6	2	4	5	9
3번	8	1	3	7	6	2	4	5	9
4번	1	8	3	7	6	2	4	5	9
5번	1	8	3	7	2	6	4	5	9
6번	1	8	3	2	7	6	4	5	9
7번	1	8	2	3	7	6	4	5	9
8번	1	2	8	3	7	6	4	5	9
9번	1	2	3	8	7	6	4	5	9
10번	1	2	3	7	8	6	4	5	9
11번	1	2	3	7	6	8	4	5	9
12번	1	2	3	7	6	4	8	5	9
13번	1	2	3	7	6	4	5	8	9
14번	1	2	3	7	4	6	5	8	9
15번	1	2	3	4	7	6	5	8	9
16번	1	2	3	4	6	7	5	8	9
17번	1	2	3	4	6	5	7	8	9
18번	1	2	3	4	5	6	7	8	9

→ 이외에도 여러 가지 방법이 있습니다.

2 　마지막 동전을 뒤집을 때 동전 6개가 그림면이 보이도록 놓여 있어야 합니다.

동전 6개를 모두 뒤집으면 숫자면은 각각 0개, 2개, 4개, 6개씩 늘어나거나 줄어듭니다.

서로 다른 동전을 6개씩 7번 뒤집으면 숫자면은 42개, 그림면은 8개가 됩니다.

이때 여덟번째에 숫자면 2개와 그림면 4개를 한꺼번에 뒤집으면 그림면 2개와 숫자면 4개가 되므로 남은 그림면 4개와 더하면 그림면은 모두 6개가 됩니다.

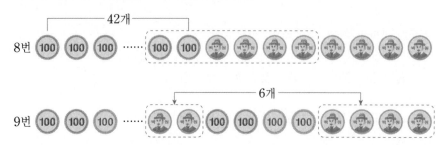

마지막으로 그림면이 보이는 동전 6개를 한꺼번에 뒤집으면 동전 50개가 모두 숫자면이 보이도록 놓입니다.

따라서 최소 9번 뒤집어야 합니다.

3 　카드를 |조건|에 맞도록 섞었을 때 카드가 놓이는 위치가 어떻게 변하는지 다음과 같이 표를 그려 규칙을 찾아봅니다.

처음	1번	2번	3번	4번	5번	6번	……
1	2	50	3	49	4	48	
2	3	1	4	50	5	49	
3	4	2	5	1	6	50	
4	5	3	6	2	7	1	
5	6	4	7	3	8	2	……
⋮	⋮	⋮	⋮	⋮	⋮	⋮	
48	49	47	50	46	1	45	
49	50	48	1	47	2	46	
50	1	49	2	48	3	47	

카드를 짝수 번 섞을 때 가장 위에 놓이는 카드에 적힌 숫자는 $51 - \boxed{} \div 2$의 규칙이 있으므로 20번 섞었을 때 가장 위에 놓이는 카드에 적힌 숫자는 $51 - 20 \div 2 = 41$입니다. (\boxed{}은 짝수 번)

따라서 25가 적힌 카드는 위에서부터 41, 42, 43 …… 49, 50, 1, 2 …… 25, 26 …… 40 순서로 놓인 카드 더미에서 35번째에 놓입니다. (10개, 25개)

4 　1이나 8부터 자리를 정해야 합니다.

왼쪽부터 차례로 1부터 8까지 놓이도록 만들려면 1은 네 번째, 8은 다섯 번째에 놓여있어야 합니다.

이 두 사실을 이용하여 숫자 카드를 다음 순서로 바꾸어 봅니다.

7 8 1 2 3 4 5 6 → 7 3 2 1 8 4 5 6 →

1 2 3 7 8 4 5 6 → 1 2 3 7 6 5 4 8 →

1 2 3 4 5 6 7 8

따라서 최소 4번 바꿔야 합니다.

1 3번　　　　　　　**2** 50000 km　　　　　**3** 17분

4 3번　　　　　　　**5** 22번

6

1번	2번	가짜 왕관
①②=③④	①=⑤	⑥
	①>⑤	⑤
	①<⑤	⑤
①②>③④	①⑤=②③	④
	①⑤>②③	③
	①⑤<②③	②
①②<③④	①⑤=②③	④
	①⑤>②③	②
	①⑤<②③	③

1 구슬을 세 묶음으로 나누어 비교하면 양팔저울을 다음과 같이 최소 횟수로 사용해 가짜금화를 찾을 수 있습니다.

개수	2~3개	4~9개	10~27개
최소 횟수	1회	2회	3회

따라서 양팔저울은 최소 3번 사용해야 합니다.

주의
두 묶음으로 나누어 비교하는 방법을 이용하면 (10개, 10개), (5개, 5개), (2개, 2개), (1개, 1개)로 양팔저울을 최소 4번 사용해야 가짜 금화를 찾을 수 있습니다.

2 5개의 바퀴를 가, 나, 다, 라, 마라고 하면 다음과 같이 바퀴를 갈아 끼우는 방법으로 최대 50000 km를 갈 수 있습니다.

이동거리	10000 km	20000 km	30000 km	40000 km	50000 km
앞바퀴(왼쪽)	가	가	가	가	나
앞바퀴(오른쪽)	나	나	나	다	다
뒷바퀴(왼쪽)	다	다	라	라	라
뒷바퀴(오른쪽)	라	마	마	마	마

해결 전략
모든 바퀴의 수명이 남김없이 다할 때까지 사용하는 방법을 찾습니다.

3 선물 포장을 최대한 빨리 완성하려면 찬우가 기다리는 시간이 최소가 되어야 하므로 찬우가 기다리는 시간을 줄이기 위해 미주는 나 선물의 포장지부터 잘라야 합니다.

① 나 → 가 → 다

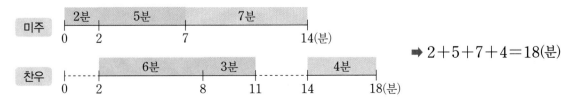

➡ 2+5+7+4=18(분)

② 나 → 다 → 가

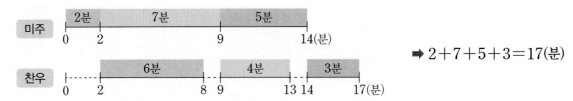

➡ $2+7+5+3=17$(분)

따라서 나, 다, 가 순서대로 선물 포장을 끝내면 최소 17분이 걸립니다.

4 숫자면의 개수가 0개에서 7개로 늘어나야 합니다.

• 세 번 뒤집는 경우: $0 + \boxed{3+3+1} = 7$이므로 가능한지 확인합니다.

> **해결 전략**
> 마지막 동전을 뒤집기 전에 그림면으로 놓인 동전이 3개 있어야 합니다.

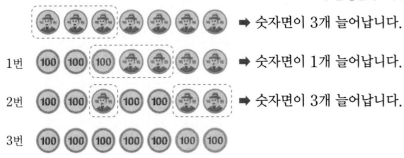

➡ 숫자면이 3개 늘어납니다.

1번 ➡ 숫자면이 1개 늘어납니다.

2번 ➡ 숫자면이 3개 늘어납니다.

3번

따라서 최소 3번 뒤집으면 동전 7개의 숫자면이 모두 위로 오도록 뒤집을 수 있습니다.

5 한글이 적힌 카드가 맨 아래에서 4번째에 있어야 그 다음 번 카드를 섞을 때 맨 위에서 2번째에 놓이게 됩니다.
한글이 적힌 카드를 기준으로 위쪽에 카드 15장, 아래쪽에 카드 15장이 있습니다.
카드를 섞었을 때 한글이 적힌 카드가 위에서부터 몇 번째에 놓이는지 다음과 같이 표를 그려봅니다.

처음	1번	2번	3번	4번	5번	6번	7번	8번	9번	……
16	21	26	31	5	10	15	20	25	30	……

3번 아래에 ↓ 맨 아래, 9번 아래에 ↓ 아래에서 두 번째

다시 6번 섞으면 아래에서 세 번째, 또 다시 6번 섞으면 아래에서 네 번째 놓이게 됩니다.
따라서 카드는 $3+6+6+6+1=22$(번) 섞어야 합니다.

6

01 ⑤

02 $\dfrac{11}{24}$

03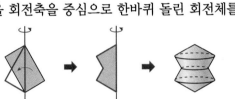

04 4번

05 12560 cm³

06 942 cm²

07 1

08 50 cm²

09 314 cm²

10 4개

01 평면도형이 회전축을 중심으로 회전축의 양쪽에 있는 경우에는 양 옆에 있는 도형 중 더 큰 부분을 회전한 것과 같습니다. 따라서 다음과 같이 회전축의 오른쪽에 있는 평면도형을 왼쪽으로 뒤집어 평면도형을 그린 뒤 이 평면도형을 회전축을 중심으로 한바퀴 돌린 회전체를 찾습니다.

> **해결 전략**
> 회전축을 중심으로 오른쪽에 있는 평면도형을 왼쪽으로 옮긴 뒤 한 바퀴 돌립니다.

02 각 분수의 분모는 두 수의 곱으로, 분자는 두 수의 합으로 이루어져 있습니다. 따라서 부분분수를 이용하여 주어진 식을 바꾸어 나타낸 후 계산합니다.

> **해결 전략**
> $\dfrac{\textcircled{\small ¬}+\textcircled{\small ㄴ}}{\textcircled{\small ¬}\times\textcircled{\small ㄴ}}=\dfrac{1}{\textcircled{\small ¬}}+\dfrac{1}{\textcircled{\small ㄴ}}$

$$\dfrac{7}{12}-\dfrac{9}{20}+\dfrac{11}{30}-\dfrac{13}{42}+\dfrac{15}{56}$$

$$=\dfrac{3+4}{3\times4}-\dfrac{4+5}{4\times5}+\dfrac{5+6}{5\times6}-\dfrac{6+7}{6\times7}+\dfrac{7+8}{7\times8}$$

$$=\dfrac{1}{3}+\dfrac{1}{\cancel{4}}-\dfrac{1}{\cancel{4}}-\dfrac{1}{\cancel{5}}+\dfrac{1}{\cancel{5}}+\dfrac{1}{\cancel{6}}-\dfrac{1}{\cancel{6}}-\dfrac{1}{\cancel{7}}+\dfrac{1}{\cancel{7}}+\dfrac{1}{8}$$

$$=\dfrac{1}{3}+\dfrac{1}{8}$$

$$=\dfrac{11}{24}$$

03 위에서 본 모양의 아래쪽에 다음과 같이 앞에서 본 모양의 쌓기나무의 개수를 쓰고, 사용한 쌓기나무의 개수가 최대가 되도록 쌓기나무의 개수를 써넣습니다.

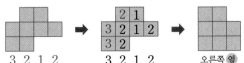

04 ① 동전 81개를 27개씩 세 묶음 (가, 나, 다)로 나눕니다.

가, 나 두 묶음의 동전을 양팔저울의 양쪽에 올려놓습니다.

가＝나이면 다에 무거운 동전이 있고,

가＞나이면 가에 무거운 동전이 있으며

가＜나이면 나에 무거운 동전이 있습니다.

② 무거운 동전이 들어있는 묶음의 동전 27개를 다시 9개씩 3개의 묶음 (라, 마, 바)로 나눕니다. ①과 같은 방법으로 무거운 동전이 있는 묶음을 찾을 수 있습니다.

③ 무거운 동전이 들어있는 묶음의 동전 9개를 다시 3개씩 3개의 묶음 (사, 아, 자)로 나눕니다. ①과 같은 방법으로 무거운 동전이 있는 묶음을 찾을 수 있습니다.

④ 남은 3개의 동전을 ①과 같은 방법으로 비교하여 무거운 동전을 찾을 수 있습니다.

따라서 양팔저울을 최소 4번 사용해야 합니다.

해결 전략
동전을 세 묶음으로 나누어 먼저 두 묶음의 무게를 비교합니다.

05 둘레가 60 cm이므로 직사각형의 가로와 세로의 합은 30 cm입니다. 직사각형의 가로가 세로의 2배일 때 원기둥의 부피가 가장 크므로 직사각형의 가로가 20 cm, 세로가 10 cm일 때 원기둥의 부피가 가장 큽니다. 따라서 원기둥의 부피의 최댓값은
$20 \times 20 \times 3.14 \times 10 = 12560 (\text{cm}^3)$입니다.

해결 전략
직사각형의 가로와 세로의 합이 일정한 경우 직사각형의 세로를 회전축으로 하여 1회 전시켰을 때 직사각형의 가로가 세로의 2배이면 원기둥의 부피가 가장 큽니다.

06 (색칠한 부분의 넓이)＝(반지름이 60 cm이고 중심각의 크기가 30°인 부채꼴의 넓이)
　　　　　　　　＋(반지름이 30 cm인 반원의 넓이)－(반지름이 30 cm인 반원의 넓이)

$$= 60 \times 60 \times 3.14 \times \frac{30°}{360°} = 942 (\text{cm}^2)$$

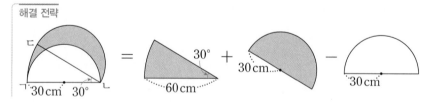

07 $\left(50\text{에서 }50\text{의 }\frac{1}{2}\text{을 빼고 남은 수}\right) = 50 - 50 \times \frac{1}{2} = 50 \times \left(1 - \frac{1}{2}\right) = 50 \times \frac{1}{2}$

$\left(50 \times \frac{1}{2}\text{에서 }50 \times \frac{1}{2}\text{의 }\frac{1}{3}\text{을 빼고 남은 수}\right) = 50 \times \frac{1}{2} - 50 \times \frac{1}{2} \times \frac{1}{3} = 50 \times \frac{1}{2} \times \left(1 - \frac{1}{3}\right)$

$$= 50 \times \frac{\overset{1}{\cancel{1}}}{\underset{1}{\cancel{2}}} \times \frac{2}{3} = 50 \times \frac{1}{3}$$

$$\left(50 \times \frac{1}{3} \text{에서 } 50 \times \frac{1}{3} \text{의 } \frac{1}{4} \text{을 빼고 남은 수}\right)$$

$$=50 \times \frac{1}{3} - 50 \times \frac{1}{3} \times \frac{1}{4} = 50 \times \frac{1}{3} \times \left(1 - \frac{1}{4}\right)$$

$$=50 \times \frac{1}{\underset{1}{3}} \times \frac{\overset{1}{3}}{4} = 50 \times \frac{1}{\text{④}}$$

따라서 이와 같은 방법을 반복하여 마지막으로 남은 수의 $\frac{1}{50}$ 을 빼고 남은 수는 $\overset{1}{50} \times \frac{1}{\underset{1}{50}} = 1$입니다.

08 (쌓기나무로 쌓은 모양의 겉넓이)

　　=((위, 앞, 옆에서 보았을 때 보이는 면의 개수)×2

　　　+(앞, 옆에서 보았을 때 보이지 않는 면의 개수))×(한 면의 넓이)

　　=((9+7+7)×2+4)×1=50(cm²)

해결 전략
주어진 쌓기나무의 모양은 다음과 같습니다.

09 바닥에 닿은 부분의 넓이는 점 ㅇ을 원의 중심으로 하여 옆면의 전개도 5개를 이어붙인 부채꼴의 넓이와 같습니다.

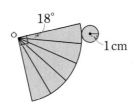

18°

1 cm

(바닥에 닿은 부분의 넓이)$=\left(20 \times 20 \times 3.14 \times \frac{18°}{360°}\right) \times 5 = 314(\text{cm}^2)$

참고

(옆면인 부채꼴의 중심각의 크기)$=360° \times \dfrac{(\text{밑면인 원의 반지름})}{(\text{모선의 길이})} = 360° \times \dfrac{1}{20} = 18°$

10 위, 앞, 오른쪽 옆에서 본 모양으로 알 수 있는 정육면체 12개로 쌓은 모양은 입니다.

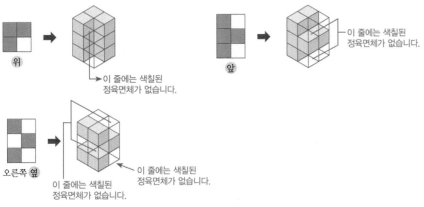

위

→이 줄에는 색칠된
　정육면체가 없습니다.

앞

─이 줄에는 색칠된
　정육면체가 없습니다.

오른쪽 옆

→이 줄에는 색칠된
　정육면체가 없습니다.

←이 줄에는 색칠된
　정육면체가 없습니다.

따라서 색칠된 정육면체는 다음과 같이 4개입니다.

01 2370 cm²

02 25분

03 102.8 cm

04 $2018\frac{2018}{2019}$

05 3600 cm²

06 7

07 11, 6

08 1344 cm²

09 8번

10 124 cm

01 (나무토막의 겉넓이)
= (두 밑면의 넓이) + (평평한 옆면의 넓이) + (굽은 옆면의 넓이)
= (10×10×3.14÷2×2) + (20×40) + (20×3.14×40÷2)
= 314 + 800 + 1256 = 2370(cm²)

02 상미가 카드를 만든 후에 상호가 그 카드에 글씨를 쓰는 것이므로 상호가 상미를 기다리는 시간이 최소가 되려면 아빠 → 할머니 → 엄마 순서로 카드를 만들어야 합니다.

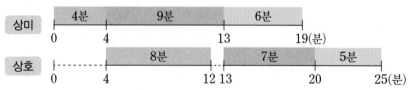

따라서 최소 4+9+7+5=25(분)이 걸립니다.

해결 전략
상호가 기다리는 시간이 짧아야 카드를 빨리 완성할 수 있으므로 상미는 아빠에게 드릴 카드를 먼저 만듭니다.

03 작은 원 4개의 지름을 왼쪽부터 ㉠ cm, ㉡ cm, ㉢ cm, ㉣ cm라 하면
(작은 반원의 둘레의 합)
= (작은 반원의 호의 길이의 합) + (작은 반원의 지름의 합)
= ㉠×3.14÷2 + ㉡×3.14÷2 + ㉢×3.14÷2 + ㉣×3.14÷2 + (㉠+㉡+㉢+㉣)
= (㉠+㉡+㉢+㉣)×3.14÷2 + (㉠+㉡+㉢+㉣)
　　└→ 큰 원의 지름　　　　　　└→ 큰 원의 지름
= 40×3.14÷2 + 40 = 62.8 + 40 = 102.8(cm)

해결 전략
작은 원 4개의 지름을 ㉠ cm, ㉡ cm, ㉢ cm, ㉣ cm로 놓고 식을 세웁니다.

04 2020×2018을 계산하지 않고 $\frac{2018}{2019}$을 다음과 같이 바꾸어 계산합니다.

$$2020 \times \frac{2018}{2019} = 2020 \times \frac{2019-1}{2019}$$
$$= 2020 \times \left(1 - \frac{1}{2019}\right)$$
$$= 2020 - 1\frac{1}{2019}$$
$$= 2018\frac{2018}{2019}$$

다른 풀이
$$2020 \times \frac{2018}{2019} = (2019+1) \times \frac{2018}{2019} = \overset{1}{\underset{}{2019}} \times \frac{2018}{\underset{1}{2019}} + \frac{2018}{2019} = 2018 + \frac{2018}{2019} = 2018\frac{2018}{2019}$$

05 색칠한 부분을 넓이가 같은 다른 부분으로 옮겨서 생각합니다.

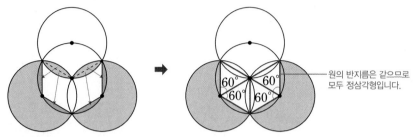

원의 반지름은 같으므로 모두 정삼각형입니다.

따라서 색칠한 부분의 넓이는 반지름이 30 cm이고, 중심각의 크기가 240°인 두 부채꼴의 넓이의 합과 같습니다.

$$
\begin{aligned}
(\text{색칠한 부분의 넓이}) &= \left(30 \times 30 \times 3 \times \frac{240°}{360°}\right) \times 2 \\
&= 3600(\text{cm}^2)
\end{aligned}
$$

06 ① 위에서 본 모양의 앞과 오른쪽 옆에 앞에서 본 모양과 오른쪽 옆에서 본 모양의 수를 씁니다.

② 확실히 알 수 있는 칸에 수를 씁니다.

③ 나머지 칸에 앞과 오른쪽 옆에서 본 모양이 변하지 않도록 수를 씁니다.

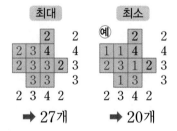

최대 ➡ 27개

최소 ➡ 20개

따라서 필요한 쌓기나무의 최대 개수와 최소 개수의 차는 27−20=7입니다.

07 반지름이 ㉠과 ㉡인 두 원의 둘레와 넓이는 다음과 같습니다.

원	반지름이 ㉠인 원	반지름이 ㉡인 원
둘레(cm)	㉠×2×3.14	㉡×2×3.14
넓이(cm²)	㉠×㉠×3.14	㉡×㉡×3.14

(두 원의 둘레의 차)=㉠×2×3.14−㉡×2×3.14=(㉠−㉡)×2×3.14=31.4

따라서 반지름 ㉠과 ㉡의 차는 5(cm)입니다.

(두 원의 넓이의 차)=㉠×㉠×3.14−㉡×㉡×3.14=(㉠×㉠−㉡×㉡)×3.14=266.9

따라서 ㉠×㉠과 ㉡×㉡의 차는 85(cm²)입니다.

㉠	6	7	8	9	10	11	……
㉡	1	2	3	4	5	6	……
㉠×㉠−㉡×㉡	35	45	55	65	75	85	……

따라서 ㉠은 11, ㉡은 6입니다.

08 반지름이 10 cm인 원기둥을 ㉠, 반지름이 6 cm인 원기둥을 ㉡, 반지름이 4 cm인 원기둥을 ㉢, 반지름이 2 cm인 원기둥을 ㉣이라고 놓고 문제를 해결합니다.

해결 전략
입체도형의 위에서 본 밑면의 넓이는 파내기 전과 파낸 후가 똑같습니다.

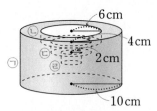

(입체도형의 겉넓이)＝(㉠의 밑면의 넓이)×2＋
(㉠의 옆면의 넓이)＋(㉡의 옆면의 넓이)＋
(㉢의 옆면의 넓이)＋(㉣의 옆면의 넓이)
＝(10×10×3)×2＋
(10×2×3×10)＋(6×2×3×2)＋
(4×2×3×2)＋(2×2×3×2)
＝600＋600＋72＋48＋24＝1344(cm²)

09 마지막 동전을 뒤집을 때 동전 3개가 그림면이 보이도록 남아 있어야 합니다. 서로 다른 동전을 한번에 3개씩 6번 뒤집으면 숫자면이 18개, 그림면이 2개가 됩니다.
일곱 번째에 숫자면 2개와 그림면 1개를 뒤집으면 그림면 2개와 숫자면 1개가 되고, 여덟 번째에 그림면 3개를 뒤집으면 모든 동전의 숫자면이 위를 보도록 만들 수 있습니다.

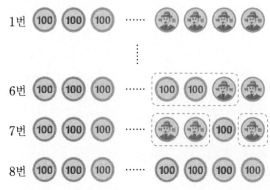

따라서 최소 8번 뒤집어야 합니다.

10 원의 중심이 지나간 경로를 그려 보면 다음과 같습니다. 이때 원의 반지름은 모두 같으므로 원의 중심이 이동한 경로의 안쪽에서 찾을 수 있는 삼각형은 모두 정삼각형입니다.

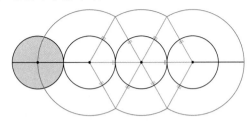

따라서 원의 중심이 지나간 경로의 길이는 반지름이 $12\,\text{cm}$이고 중심각의 크기가 $120°$인 부채꼴 4개와 반지름이 $12\,\text{cm}$이고 중심각의 크기가 $60°$인 부채꼴 2개의 호의 길이의 합과 같습니다.

(원의 중심이 지나간 경로의 길이)

$$= 12 \times 2 \times 3.1 \times \frac{120°}{360°} \times 4 + 12 \times 2 \times 3.1 \times \frac{60°}{360°} \times 2$$
$$= 99.2 + 24.8$$
$$= 124 (\text{cm})$$

 **MEMO**

심화 완성 최상위 수학S, 최상위 수학

개념부터
심화까지

수학 좀 한다면

상위권의 힘, 사고력 강화
최상위 사고력

따라올 수 없는 자신감!
디딤돌 초등 라인업을 만나 보세요.

수준별 수학 기본서	디딤돌 초등수학 원리	3~6학년	교과서 기초 학습서
	디딤돌 초등수학 기본	1~6학년	교과서 개념 학습서
	디딤돌 초등수학 응용	3~6학년	교과서 심화 학습서
	디딤돌 초등수학 문제유형	3~6학년	교과서 문제 훈련서
	디딤돌 초등수학 기본+응용	1~6학년	한권으로 끝내는 응용심화 학습서
	디딤돌 초등수학 기본+유형	1~6학년	한권으로 끝내는 유형반복 학습서

상위권 수학 학습서	최상위 초등수학 S	1~6학년	심화 개념 · 심화 유형 학습서
	최상위 초등수학	1~6학년	심화 개념 · 심화 유형 학습서
	최상위 사고력	7세~초등 6학년	경시 · 영재 · 창의사고력 학습서
	3% 올림피아드	1~4과정	올림피아드 · 특목중 대비 학습서

연산학습 교재	최상위 연산은 수학이다	1~6학년	수학이 담긴 차세대 연산 학습서

국사과 기본서	디딤돌 초등 통합본(국어·사회·과학)	3~6학년	교과 진도 학습서

국어 독해력	디딤돌 독해력	1~6학년	수능까지 연결되는 초등국어 독해 훈련서